BELGIQUE
Lille
NORD
-CALAIS
Arras
OMME
Amiens
AISNE
ISE
ARDENNES
LUXEMBOURG
Metz
MOSELLE
MEURTHE-ET-MOSELLE
Châlons-sur-Marne
Marne
MARNE
MEUSE
Paris
SEINE
Versailles
SEINE-ET-MARNE
BAS-RHIN
Strasbourg
Nancy
Rhin
Seine
HTE
Chaumont
MARNE
AUBE
VOSGES
HT
RHIN
OIRET
Loire
YONNE
HAUTE-SAÔNE
CÔTE-D'OR
Dijon
Besançon
DOUBS
CHER
NIÈVRE
SUISSE
JURA
SAÔNE-ET-LOIRE
ALLIER
AIN
HTE SAVOIE
RHÔNE
PUY-DE-DÔME
Clermont-Ferrand
LOIRE
Lyon
SAVOIE
ITALIE
Rhône
ISÈRE
Grenoble
HAUTE-LOIRE
le Puy
CANTAL
ARDÈCHE
HAUTES-ALPES
DRÔME
LOZÈRE
BASSES-ALPES
Digne
ALPES-MARITIMES
VEYRON
VAUCLUSE
GARD
Nîmes
Avignon
Nice
HÉRAULT
BOUCHES-DU-RHÔNE
VAR
Marseille
Carcassonne
AUDE
Perpignan
RÉNÉES
RIENTALES
MER MÉDITERRANÉE
CORSE
ALLEMAGNE

Jeanne d'Arc au sacre de Charles VII

Héros et Héroïnes de France

PAR

NOËLIA DUBRULE

GINN AND COMPANY
Boston · New York · Chicago · London
Atlanta · Dallas · Columbus · San Francisco

PRINTED IN THE UNITED STATES OF AMERICA

630.4

The Athenæum Press
GINN AND COMPANY · PRO-
PRIETORS · BOSTON · U.S.A.

Introduction

LA FRANCE est un vieux pays, et parce que la France est un vieux pays elle a beaucoup de héros et d'héroïnes, beaucoup de légendes, beaucoup de belles histoires.

Autrefois les héros étaient presque tous des guerriers ; ils se distinguaient sur les champs de bataille : Vercingétorix, Roland, Jeanne d'Arc, Bayard, et combien d'autres !

Aujourd'hui il y a des héros et des héroïnes dans toutes les classes de la société. Il y a des héros dans la science comme Pasteur ; il y a des héros dans la religion comme les missionnaires ; il y a des héros dans le domaine de la pitié comme les membres de la Croix-Rouge ; il y a des héros dans les airs comme les aviateurs que nous admirons ou pleurons ; enfin il y a des héros et des héroïnes bien modestes qui se dévouent et se sacrifient pour leur famille ou pour leurs compatriotes.

Il y a sans doute parmi vous des héros en herbe, et dans quelque champ de l'activité humaine vos noms seront connus et vos actes admirés par le monde entier.

En attendant, lisons l'histoire de quelques héros qui ont vécu au beau pays de France.

Table des matières

Héros et Héroïnes de France

La Gaule

AUTREFOIS, il y a bien longtemps, environ deux mille ans, la France s'appelait la Gaule. Les habitants de la Gaule étaient les Gaulois.

Les Gaulois étaient très grands, très forts, très braves. Ils habitaient des espèces de cabanes circulaires qu'ils construisaient au milieu des forêts.

Leur plus grand plaisir était la chasse. Ils chassaient les animaux sauvages de la forêt : les loups, les ours, les sangliers. Avec la fourrure de ces animaux ils se faisaient des vêtements.

Les Gaulois étaient divisés en plusieurs tribus. Chaque tribu avait un chef qui la conduisait à la guerre. Le chef était très puissant et toujours très brave.

Les Gaulois aimaient beaucoup leurs sombres forêts. Ils croyaient qu'elles étaient habitées par des esprits divins. Souvent, quand la nuit était claire et que la lune brillait, ils se réunissaient autour de leurs prêtres, qu'on appelait « druides », et, aux pieds des arbres géants de la forêt, ils chantaient la gloire des aïeux et les victoires passées.

Alors, le chef des druides, vêtu de blanc, s'avançait, une serpe d'or à la main. Il coupait quelques tiges de gui, plante sacrée qui pousse sur les vieux chênes. On gardait ce gui comme un souvenir précieux.

Questionnaire

1. Comment s'appelait la France autrefois?
2. Y a-t-il bien longtemps de cela?
3. Comment s'appelaient les habitants de la Gaule?
4. Comment étaient les Gaulois?
5. Qu'est-ce qu'ils habitaient?
6. Où construisaient-ils leurs cabanes?
7. Quel était leur plus grand plaisir?
8. Quels animaux chassaient-ils?
9. Que faisaient-ils avec la fourrure de ces animaux?
10. Comment les Gaulois étaient-ils divisés?
11. Qui était à la tête de chaque tribu?
12. Comment était ce chef?
13. Qu'est-ce que les Gaulois aimaient beaucoup?
14. Que croyaient-ils?
15. Comment appelait-on leurs prêtres?
16. Que faisaient les Gaulois dans la forêt au clair de lune?
17. Avec quoi le chef des druides coupait-il le gui?
18. Où pousse le gui?
19. Comment gardait-on ce gui?

Notes explicatives

il y a bien longtemps: il y a signifie *ago*, mais en français il y a précède toujours les mots qui indignent la période de temps: **il y a un an, il y a deux jours, il y a un mois.** Il y a veut aussi dire *there is, there are, it is.*

s'appelait: la forme réfléchie d'un verbe s'emploie souvent au lieu de la forme passive; **s'appelait** veut donc dire *was called.*

ils se faisaient des vêtements: ici la forme réfléchie reste réfléchie en anglais: *they made themselves clothes.*

se réunissaient, s'avançait: ces deux verbes sont réfléchis en français, mais non réfléchis en anglais: (*they*) *gathered,* (*he*) *advanced.*

Exercice de prononciation

Prononcez avec l'o fermé [o]:

la Gaule	au	autour
les Gaulois	les animaux	aux
autrefois	beaucoup	eau

Prononcez avec l'o ouvert [ɔ]:

fort	comment	or
la forêt	alors	comme

Prononcez en faisant entendre la consonne finale:

un ours	un chef	l'or
le plaisir	clair	le souvenir

Prononcez sans faire entendre la consonne finale:

autrefois	un esprit	puissant
longtemps	le pied	toujours
deux	alors	très
un habitant	vieux	souvent
grand	le loup	la nuit
fort	le sanglier	géant
la forêt	un vêtement	blanc
beaucoup	plusieurs	précieux

Un Coup d'œil sur la grammaire

La France s'appelait la Gaule.
Les Gaulois étaient très grands.
Chaque tribu avait un chef.
Les Gaulois aimaient leurs sombres forêts.
La nuit était claire.

In the sentences above, the verbs are in a tense called the **imparfait.** Notice the endings **ait, aient.**

This tense is used because these verbs describe conditions that were existing or actions that were taking place at that time. This tense is therefore a descriptive tense.

The **imparfait** is often translated by the English *used to* and a verb: *used to go,* **allait**; *used to keep,* **gardait.**

The **imparfait** may also be translated by the progressive form of the verb: *was singing,* **chantait**; *were speaking,* **parlaient.**

The **imparfait** may also be translated by *would* and the infinitive, indicating a customary action: *they would gather,* **ils se réunissaient**; *they would sing,* **ils chantaient.**

The **imparfait** cannot be used in place of the **passé indéfini.**

The **passé indéfini,** also called the **passé composé,** is the past tense used in conversation to indicate that an action took place at a certain time in the past.

Passé indéfini (passé composé)	**Imparfait**
Ce matin j'ai lu l'histoire de la Gaule.	Quand j'étais jeune, je lisais des contes de fées.
Mon père a chassé des animaux sauvages cet hiver.	Autrefois mon père chassait les animaux sauvages.
Pendant les vacances d'été j'ai habité une cabane.	Les Gaulois habitaient des cabanes circulaires.

Exercices pratiques

I

Dans la première colonne, mettez les verbes au passé indéfini; dans la seconde, à l'imparfait:

1. Nous (**chanter**) une chanson.
2. Je (**garder**) le souvenir que vous me (**donner**).
3. Ils (**ne pas couper**) le gui pour Noël.

1. Les Gaulois (**chanter**) la gloire de leurs aïeux.
2. Les Gaulois (**garder**) le gui comme un souvenir précieux.
3. Ils (**couper**) le gui sur les vieux chênes.

II

Expliquez l'emploi du passé indéfini et de l'imparfait dans les phrases précédentes.

III

Écrivez les réponses aux questions (*page 4*) *de manière à former une composition suivie.*

MODÈLE

Autrefois la France s'appelait la Gaule. Il y a longtemps de cela. Il y a deux mille ans. Les habitants de la Gaule s'appelaient les Gaulois, etc.

Vercingétorix

PENDANT que les tribus gauloises se faisaient la guerre entre elles, un grand général romain, Jules César, s'emparait de la Gaule. Petit à petit d'abord : un jour, les Romains prenaient une ville, un peu plus tard, ils en prenaient une autre, si bien qu'à la fin ils étaient partout.

Alors les Gaulois alarmés s'unissent et choisissent un jeune chef, appelé Vercingétorix. Mais il est trop tard.

Victorieux d'abord, il poursuit César en Bourgogne. Mais bientôt la fortune se tourne contre lui.

Les Gaulois se battent comme des lions, mais après trois jours de bataille, ils sont forcés de se retirer, laissant le champ de bataille couvert de morts et d'étendards.

La ville où Vercingétorix se retire est cernée ; la faim tenaille toute la population. Alors le brave chef monte sur son plus beau cheval et se rend auprès de César. Il jette par terre aux pieds du vainqueur ses armes, son casque, son bouclier. Puis, se croisant les bras, il garde fièrement le silence.

Cette noble conduite ne touche pas le cœur de César. Le vainqueur, sans pitié pour le vaincu, le fait charger de chaînes, et après une longue captivité, le fait décapiter.

Vercingétorix devant César

Questionnaire

1. Que faisait le grand général romain Jules César pendant que les Gaulois se faisaient la guerre?

2. Jules César s'empare-t-il de la Gaule tout d'un coup ou petit à petit?

3. Que font les Gaulois alarmés? Comment s'appelle le chef qu'ils choisissent?

4. Comment se battent les Gaulois?

5. Comment laissent-ils le champ de bataille?

6. Que fait Vercingétorix quand il voit que la ville est perdue?

7. Le vainqueur se sent-il le cœur touché d'une si noble conduite?

8. Que fait le vainqueur au vaincu?

Notes explicatives

pendant que, pendant: **pendant que** est une locution conjonctive et doit être suivi d'un verbe; **pendant** est une préposition et doit être suivi d'un nom ou d'un adverbe: **pendant un an, pendant longtemps; pendant qu'il fait la guerre, pendant qu'ils faisaient la guerre.**

s'emparer: ce verbe réfléchi veut dire **prendre possession.**

s'unissent etc.: dans une narration, le présent peut s'employer au lieu du passé; on donne à ce temps le nom de **présent historique.**

se battre, battre: **battre** veut dire *to beat,* mais la forme réfléchie, **se battre,** veut dire *to fight.*

se retirer, retirer: ces deux verbes veulent dire *to withdraw.* Le premier contient le complément direct dans son pronom réfléchi ; lorsqu'on emploie le second, il faut ajouter un complément direct : **je me retire,** *I withdraw (myself)*; **je retire mon offre,** *I withdraw my offer.*

se rendre, rendre: rendre veut dire *to render, to give back*; **se rendre** veut dire *to go.* Le verbe réfléchi **se rendre** peut aussi s'employer dans le sens de *to yield, to surrender.*

se croisant les bras: avec les parties du corps, l'article défini s'emploie souvent au lieu de l'adjectif possessif, avec le verbe à la forme réfléchie. Le pronom qui accompagne le verbe indique le possesseur.

Exercice de prononciation

*Prononcez avec l'***e** *ouvert* [ɛ] :

après	guerre	faire
fièrement	elle	prenaient
auprès	chef	fait
espèce	couvert	appelait
forêt	jette	brillait
très	terre	gardaient
vêtement	circulaire	habitaient
chêne	claire	aimaient
tête	serpe	coupaient
chaîne	être	verbe

*Prononcez avec l'***e** *muet* [ə] *et l'***e** *ouvert* [ɛ] :

faisait [fəzɛ]	faisons [fəzɔ̃]
faisaient [fəzɛ]	faisiez [fəzje]
faisais [fəzɛ]	faisions [fəzjɔ̃]

Expressions idiomatiques

Petit à petit.	*Little by little.*
Par terre.	*On the ground.*
Il garde le silence.	*He remains silent.*

On appelle **expressions idiomatiques** les mots, les locutions ou les phrases qu'on ne peut pas traduire littéralement dans une autre langue. Les expressions idiomatiques qui appartiennent à la langue française s'appellent **gallicismes.** Il ne faut pas traduire le mot anglais *idiom* par le mot français **idiome.** Ce dernier mot veut dire « langage » ; mais *idiom* peut se traduire par **idiotisme.**

Exercices pratiques

I

Conjuguez:

1. J'apprends le français petit à petit.
2. Je jette mon livre par terre.
3. Je n'ai pas gardé le silence.

II

Écrivez au passé indéfini, ou passé composé:

1. Nous choisissons un chef.
2. Ils laissent le champ couvert de morts.
3. Il jette ses armes par terre.
4. Cette conduite ne touche pas le cœur du vainqueur.

III

Écrivez les réponses aux questions (*page 10*) *de manière à former une composition suivie.*

Charlemagne

CHARLEMAGNE, c'est-à-dire Charles le Grand, avait passé son enfance au milieu des forêts, écoutant les récits de batailles ou de chasse, chassant lui-même avec ses amis les bêtes sauvages de la forêt.

Il devint très grand, très fort, très habile à manier les armes. Son intelligence était merveilleuse, et le temps de son long règne est un temps extraordinaire.

Il possédait la Gaule, l'Italie, la moitié de l'Espagne et presque toute la Germanie. Alors, le jour de Noël en l'an 800, il devint empereur d'Occident.

> Charlemagne, empereur à la barbe fleurie,
> . . . .
> Parlait dans la montagne avec sa grande voix.
> Et les pâtres lointains, épars au fond des bois,
> Croyaient en l'entendant que c'était le tonnerre.
>
> VICTOR HUGO

L'empereur « à la barbe fleurie » ne s'occupait pas seulement de conquêtes et de gloire ; il cherchait aussi le bonheur de ses peuples. Il recommandait la justice envers les pauvres comme envers les riches.

A la porte de son palais, il y avait une cloche qu'on pouvait sonner, le jour et la nuit, pour demander du secours. Un jour, un vieux cheval abandonné tira la corde de la cloche en broutant la mousse de la muraille ; alors Charlemagne fit venir le maître de la pauvre bête et lui dit : « Ne rougis-tu pas de chasser une bête vieillie à ton service ? Va et nourris-la jusqu'à sa mort, ou crains ma colère. »

Charlemagne fut un sage administrateur. Il chercha à donner des lois uniformes à son immense empire, qu'il divisa en comtés. A la tête de chaque comté, il plaça un comte qui devait faire observer les lois. Si le comte était injuste, ce qui arrivait assez souvent, l'empereur envoyait un émissaire qui s'installait chez le comte pour le surveiller. Pour se débarrasser de cet observateur, le comte se réformait promptement.

Charlemagne fut aussi un chrétien zélé. Ses méthodes de persuasion n'étaient pas toujours des plus douces, mais il faut se rappeler que Charlemagne était surtout un chef de guerre. Par exemple, lorsqu'il avait conquis des ennemis païens, il leur faisait choisir entre le baptême et la mort. Les conversions étaient nombreuses. A côté du château fort Charlemagne construisait une église.

Dans ces temps de guerre constante, l'instruction avait été négligée. Charlemagne fonda des écoles et fit venir dans son royaume les savants des autres pays. On lit dans les *Capitulaires*, c'est-à-dire dans les décrets législatifs, ce passage : « Tout père de famille doit envoyer son fils à l'école et l'y laisser jusqu'à ce qu'il soit bien instruit. » Il faut observer que les filles n'étaient pas obligées d'aller à l'école. Le féminisme n'était pas encore né.

Charlemagne

Encore aujourd'hui on fait hommage à Charlemagne, le fondateur des écoles, car le 28 janvier, jour de la Saint-Charlemagne, les collèges et les lycées de France célèbrent avec de grandes réjouissances la fête du patron des écoliers.

Beaucoup de légendes se sont formées autour de Charlemagne. Le premier chef-d'œuvre de la littérature française, la *Chanson de Roland,* chante les exploits de ce grand empereur et de ses preux chevaliers.

Questionnaire

1. Où Charlemagne avait-il passé son enfance ?
2. Qu'est-ce qu'il écoutait ?
3. Quelles bêtes chassait-il ?
4. Que devint-il ?
5. Comment était son intelligence ?
6. Le temps de son règne est-il un temps ordinaire ?
7. Nommez les pays qu'il possédait.
8. Quand devint-il empereur d'Occident ?
9. Indiquez comment le poète Victor Hugo appelle Charlemagne.
10. L'empereur « à la barbe fleurie » s'occupait-il seulement de conquêtes et de gloire ?
11. Que cherchait-il aussi ?
12. Que recommandait-il ?
13. Qu'est-ce qu'il y avait à la porte de son palais ?
14. Quand pouvait-on sonner cette cloche ?
15. Un jour, qui tira la corde de la cloche ?

16. Que fit alors Charlemagne?

17. Que dit-il au maître de la pauvre bête?

18. Comme administrateur, comment Charlemagne divisa-t-il son immense empire?

19. Qui plaça-t-il à la tête de chaque comté?

20. Que devait faire le comte?

21. Quand le comte était injuste, qui l'empereur envoyait-il?

22. Que faisait cet émissaire?

23. Que faisait le comte pour se débarrasser de cet observateur?

24. Charlemagne était-il un bon chrétien?

25. Quelles étaient ses méthodes de persuasion?

26. Pour quelle raison doit-on excuser la rigueur de ces méthodes?

27. A côté du château fort, que construisait Charlemagne?

28. Que fonda Charlemagne?

29. Qui fit-il venir dans son royaume?

30. Que lit-on dans les *Capitulaires*?

31. Qu'est-ce que c'est que les *Capitulaires*?

32. De quelle manière fait-on encore hommage au fondateur des écoles en France?

33. Qu'est-ce qui s'est formé autour de Charlemagne?

34. Donnez le titre du premier chef-d'œuvre de la littérature française.

35. Que chante ce poème?

Notes explicatives

à la barbe fleurie: *with the flowing beard*, expression classique se rapportant à Charlemagne.

au fond des bois: *in the depths of the woods.*

Victor Hugo: grand poète du dix-neuvième siècle.

envers, vers: ces deux mots veulent dire *toward*; **envers** a un sens abstrait, **vers** a un sens concret: **Il est juste envers les pauvres; Je m'avance vers vous.**

qui devait faire observer les lois: remarquez que les trois verbes (les deux derniers à l'infinitif) se suivent, construction qui n'est pas rare en français: *who was to have the laws observed, whose duty it was to have the laws observed.*

ce qui: (*a thing*) *which.*

chez le comte: à la maison du comte.

des plus douces: *the gentlest.*

littérature: remarquez bien que ce mot s'écrit avec deux t en français.

Exercice de prononciation

Prononcez:

***e* fermé** [e]	***e* ouvert** [ɛ]	***e* muet** [ə]
passé	forêt	presque
récit	bête	Charlemagne
manier	avec	demande
moitié	merveilleux	secours
donner	règne	venir
comté	Espagne	devait
débarrasser	Noël	ce
zélé	Germanie	que
chrétien	baptême	le

***e* fermé** [e]	***e* ouvert** [ɛ]	***e* muet** [ə]
négligé	tonnerre	de
obligé	conquête	je
né	envers	me
lycée	capitulaire	se
chez	devait	chevalier

Prononcez:

1. Pour se débarrasser de cet observateur.
2. Les *Capitulaires* sont des décrets législatifs.
3. L'empereur envoyait un émissaire.
4. Lisez le premier chef-d'œuvre de la littérature française.

Un Coup d'œil sur la grammaire

Il devint très grand.
Un vieux cheval tira la corde.
Charlemagne fit venir le maître.
Que dit-il au maître du cheval?
L'empereur fut un bon chrétien.

In the sentences above, the verbs are in a tense called **passé défini** or **passé simple**. This tense indicates that an action took place, and was completed, at a certain time in the past. It is not often used in conversation, but it has the same meaning as the **passé indéfini**, or **passé composé**, which is the past tense of conversation. The **passé défini** is sometimes called the **narrative past.**

Passé défini: Un vieux cheval tira la corde (*narration*).
Passé indéfini: Un vieux cheval a tiré la corde (*conversation*).
Imparfait: Le vieux cheval tirait la corde quand il avait faim (*habitual action and continued state*).

Expressions idiomatiques

A la barbe fleurie.	*With the flowing beard.*
Au fond.	*In the depths.*
Le jour et la nuit.	*Day and night.*
A côté de.	*Near, by the side of.*

Exercices pratiques

I

Écrivez au passé indéfini (passé composé) :

1. Charlemagne passa sa jeunesse au milieu des forêts.
2. Il rougit de sa conduite.
3. Il chassa le vieux cheval.
4. Ils demandèrent du secours.
5. Ces pauvres ne sonnèrent pas la cloche.
6. On ne célèbre pas la Saint-Charlemagne ici.
7. Je lis ce chef-d'œuvre.
8. Nous tirâmes la corde.
9. Qui ouvre la porte ?
10. Fermez-vous les fenêtres ?

II

Écrivez les réponses aux questions (pages 16–17) de manière à former une composition suivie.

Roland, le preux chevalier

Tous les preux étaient morts, mais aucun n'avait fui.
Il reste seul debout, Olivier près de lui ;
L'Afrique sur le mont l'entoure et tremble encore.
« Rends-toi, tu vas mourir, rends-toi, criait le More ;

« Tous tes pairs sont couchés dans les eaux des torrents. »
Il rugit comme un tigre, et dit : « Si je me rends,
Africain, ce sera lorsque les Pyrénées
Sur l'onde avec leurs corps rouleront entraînées. »

QUI est ce preux chevalier Roland qui parle au More avec tant de fierté et de courage ? Roland, c'est un héros à demi légendaire. Il était le neveu de Charlemagne. Il avait accompagné son oncle, l'empereur « à la barbe fleurie », dans une campagne contre les Arabes en Espagne. L'armée retournait en France, victorieuse. Roland avec son ami Olivier devait protéger l'arrière de l'armée. Et les soldats se disaient : « Si Roland nous protège, aucun danger ne nous menace ».

Cependant, et ici commence la légende, il y avait un traître, le traître Ganelon, qui était jaloux de la faveur que le grand empereur accordait à Roland. Pour perdre son rival, il traita avec l'ennemi. Au moment où Roland et l'arrière-garde s'engageaient dans le col de Roncevaux, les Sarrasins l'attaquèrent.

Quand Olivier, du haut de la colline, vit l'immense armée qui s'avançait sur eux, il conseilla à Roland de sonner du cor pour faire revenir l'empereur. Mais Roland se serait cru déshonoré s'il avait appelé à son secours. Il répondit à Olivier : « J'en perdrais ma gloire en douce France et toute ma famille serait honnie. A Dieu ne plaise qu'il soit dit que je sonne de l'olifant par crainte des Sarrasins ! »

Dans cette étroite vallée de Roncevaux, Roland et ses compagnons firent face à des ennemis beaucoup plus nombreux. Tous se battirent comme des lions.

Tous les preux étaient morts, mais aucun n'avait fui.

Lorsque tous ses compagnons d'armes furent par terre, morts ou mourants, Roland enfin porta le cor à ses lèvres et sonna.

L'empereur était inquiet. Il cheminait accompagné de l'archevêque Turpin.

> Ici l'on entendit le son lointain du cor.
> L'empereur étonné se jetant en arrière,
> Suspend du destrier la marche aventurière.
>
> « Entendez-vous ? dit-il. — Oui, ce sont des pasteurs
> Rappelant les troupeaux épars sur les hauteurs,
> Répondit l'archevêque, ou la voix étouffée
> Du nain vert Obéron, qui parle avec sa Fée. »
>
> Et l'empereur poursuit ; mais son front soucieux
> Est plus sombre et plus noir que l'orage des cieux.
> Il craint la trahison, et, tandis qu'il y songe,
> Le Cor éclate et meurt, renaît et se prolonge.

Le Cor éclate et meurt, renaît et se prolonge

« Malheur ! c'est mon neveu ! Malheur ! car si Roland
Appelle à son secours, ce doit être en mourant.
Arrière, chevaliers, repassons la montagne ! »

. . . .

Sur le plus haut des monts s'arrêtent leurs chevaux ;
L'écume les blanchit ; sous leurs pieds, Roncevaux
Des feux mourants du jour à peine se colore.
A l'horizon lointain fuit l'étendard du More.

« Turpin, n'as-tu rien vu dans le fond du torrent ?
J'y vois deux chevaliers ; l'un mort, l'autre expirant.
Tous deux sont écrasés sous une roche noire ;
Le plus fort, dans sa main, élève un Cor d'ivoire,
Son âme en s'exhalant nous appela deux fois. »

Roland ne veut pas que sa fidèle épée Durandal tombe entre les mains des Sarrasins ; il essaye vainement de la briser contre le roc, l'acier ne se rompt pas. Alors Roland, épuisé, se couche par terre, la poitrine sur sa bonne Durandal et la figure tournée vers l'Espagne, car même en mourant il veut faire face à l'ennemi.

Questionnaire

1. Qui était mort ? Qui avait fui ?

2. Qui reste debout ?

3. Répétez les paroles du More à Roland.

4. Quelle réponse fait Roland à l'Africain ?

5. Qui est le preux chevalier Roland ?

6. Où avait-il accompagné son oncle, l'empereur « à la barbe fleurie » ?

7. Que devaient faire Roland et son ami Olivier ?

8. Que se disaient les soldats?
9. Pourquoi Ganelon était-il traître?
10. Que fit-il pour perdre son rival?
11. Qu'arriva-t-il au moment où Roland s'engagea dans le col de Roncevaux?
12. Quel conseil Olivier donna-t-il à Roland?
13. Pourquoi Roland ne voulut-il pas sonner du cor?
14. Répétez les paroles de Roland à son ami Olivier.
15. Dans cette étroite vallée, que firent Roland et ses compagnons?
16. Quand Roland porta-t-il le cor à ses lèvres?
17. Pendant ce temps, où était l'empereur?
18. Que fit l'empereur quand il entendit le son du cor?
19. Quelle question fit-il à Turpin?
20. Que lui répondit l'archevêque?
21. Décrivez l'aspect de l'empereur à ce moment.
22. Que dit-il quand le cor éclate encore?
23. Où s'arrêtent leurs chevaux?
24. En quel état sont-ils?
25. Comment se colore Roncevaux?
26. Que voit-on à l'horizon lointain?
27. Que demande encore Charlemagne à Turpin?
28. Que voit Turpin au fond du torrent?
29. Où sont les deux chevaliers?
30. Qu'est-ce que le plus fort élève dans sa main?
31. Pourquoi Roland essaye-t-il de briser son épée?
32. Comment s'appelle l'épée de Roland?

33. L'épée se rompt-elle ?

34. Alors, que fait Roland épuisé ?

35. Pourquoi se couche-t-il la figure tournée vers l'Espagne ?

Notes explicatives

Tous les preux...: ces vers sont d'Alfred de Vigny, grand poète qui vécut au dix-neuvième siècle.

Il reste: le pronom **Il** ici veut dire Roland, le preux chevalier.

Sur l'onde... entraînées: inversion : « Lorsque les Pyrénées rouleront entraînées sur l'onde. »

au moment où: le mot **où**, avec, pour antécédent, un nom tel que **moment, heure, jour**, etc., remplace le mot anglais *when*.

Roncevaux: passage étroit dans les Pyrénées, entre la France et l'Espagne.

Sarrasins: nom qu'on donnait au moyen âge aux musulmans.

pour faire revenir l'empereur: remarquez que les deux verbes se suivent. On ne peut pas dire **pour faire l'empereur revenir**, comme on dit en anglais *to make the emperor come back*.

olifant: cor d'ivoire. **Olifant** vient du mot **éléphant**.

firent face à des ennemis: *faced enemies*.

Suspend du destrier...: inversion : « suspend la marche aventurière du destrier. »

destrier: cheval de bataille.

Obéron: le roi des fées.

des feux...: inversion : « se colore à peine des feux mourants du jour. »

Exercice de prononciation

Prononcez les nasales:

[ɑ̃]	[ɔ̃]	[ɛ̃]	[œ̃]
Roland	mont	Africain	un
entoure	onde	Sarrasins	aucun
tremble	rouleront	crainte	chacun
rends	contre	craint	parfum
torrent	Roncevaux	lointain	lundi
tant	conseilla	nain	
temps	réponse	Turpin	
légende	nombreux	mains	
danger	compagnon	devint	
blanchit	comte	fin	
étendard	rompt	Vercingétorix	
savant	lion	bien	
Occident	songe	divin	
pendant	monte	inquiet	

Prononcez:

1. Tous les preux étaient morts, mais aucun n'avait fui.

2. Le cor éclate et meurt, renaît et se prolonge.

3. Le plus fort, dans sa main, élève un cor d'ivoire.

4. A l'horizon lointain fuit l'étendard du More.

Expressions idiomatiques

Sonner du cor.	*Sound one's horn.*
A Dieu ne plaise.	*God forbid.*
Par crainte des Sarrasins.	*Through fear of the Moslems.*
Ils firent face à l'ennemi.	*They faced the enemy.*
Il se coucha par terre.	*He lay down on the ground.*

Exercices pratiques

I

Conjuguez:

1. Je n'avais pas fui.

2. Je retournais en France.

3. Je répondis avec fierté.

4. J'ai fait face à l'ennemi.

5. Je ne veux pas partir.

II

Écrivez les verbes au passé indéfini ou à l'imparfait, selon le sens de la phrase:

1. Hier je (**rencontrer**) mon ami.

2. Il (**marcher**) dans la forêt quand nous le (**voir**).

3. Le traître (**être**) jaloux de Roland.

4. Les soldats (**gagner**) cette bataille.

5. Quand (**porter**)-vous ce cor à vos lèvres?

III

Expliquez pourquoi vous avez employé ou le passé indéfini ou l'imparfait dans les phrases de l'exercice II.

IV

Écrivez les réponses aux questions (pages 24–26) de manière à former une composition suivie. Faites les additions ou les changements de temps nécessaires.

Les Croisades

AU MOYEN âge le peuple était très religieux. Beaucoup de chrétiens allaient en pèlerinage à Jérusalem. Lorsqu'ils revenaient en France, ils parlaient du triste sort de cette ville sainte. Ils racontaient les malheurs des chrétiens qui s'y trouvaient.

Un moine, appelé Pierre l'Ermite, qui avait fait le pèlerinage de la Terre sainte en mendiant son pain sur la route, revint en France et se mit à prêcher qu'il fallait aller délivrer le Saint Sépulcre des mains des infidèles.

Un jour, à Clermont, en Auvergne, Pierre l'Ermite racontait comment les Turcs et les musulmans maltraitaient les pèlerins; tout à coup la foule s'écria « Partons! Dieu le veut! Dieu le veut! »

Les hommes, les femmes, les enfants mêmes déchirèrent des morceaux de drap rouge taillés en forme de croix qu'ils mirent sur leur poitrine. C'est pour cette raison qu'on appela « Croisés » ceux qui partirent pour Jérusalem, et qu'on appela « Croisades » les expéditions des Croisés pour délivrer le Saint Sépulcre.

L'enthousiasme était tellement grand que les pauvres, les paysans, les ouvriers, des familles entières se mirent en route sans provisions et sans armes, sous la conduite de Pierre l'Ermite.

Pierre l'Ermite

Ils traversèrent la France, l'Allemagne, d'autres pays dont ils ne savient pas le nom, et arrivèrent à Constantinople. Presque tous périrent en route de misère, de faim, de maladie ou d'accident.

Ceci s'appelle la Croisade des Pauvres.

Les nobles seigneurs, plus prévoyants, s'organisèrent, et cette armée fut commandée par Godefroy de Bouillon. Ces Croisés eurent aussi à souffrir de grandes misères. Ils traversèrent le désert sans eau; ils avaient soif; ils avaient faim; mais ceux qui ne restèrent pas sur le bord des routes ou dans les sables du désert continuèrent leur route vers Jérusalem.

Enfin ils aperçurent la ville qu'ils venaient délivrer. Après un mois de siège et deux jours de bataille, les Croisés entrèrent dans la ville, et Godefroy de Bouillon, leur chef, se rendit au tombeau du Christ, pieds nus et sans armes.

On voulut le nommer roi de Jérusalem, mais le pieux Godefroy refusa et prit le titre de baron du Saint Sépulcre. Il ne voulait pas porter une couronne de roi là où le Christ avait porté une couronne d'épines.

Questionnaire

1. Comment était le peuple au moyen âge?
2. Où allaient beaucoup de chrétiens?
3. De quoi parlaient-ils souvent quand ils revenaient en France?
4. Que racontaient-ils?
5. Qui était Pierre l'Ermite?

6. De quelle manière avait-il fait le pèlerinage de la Terre sainte?

7. Que fit-il lorsqu'il revint en France?

8. Où est Clermont?

9. Que raconta Pierre l'Ermite?

10. Qu'est-ce que la foule s'écria tout à coup?

11. Qu'est-ce que les hommes, les femmes et les enfants déchirèrent?

12. Où mirent-ils ces croix de drap rouge?

13. Pourquoi appela-t-on Croisés ceux qui partirent pour Jérusalem?

14. Comment appela-t-on ces expéditions en Terre sainte?

15. Comment les pauvres se mirent-ils en route pour Jérusalem?

16. Sous la conduite de qui se mirent-ils en route?

17. Quels pays traversèrent-ils?

18. Dans quelle ville arrivèrent-ils?

19. Qu'est-ce qui est arrivé à presque tous ces Croisés?

20. Comment s'appelle cette Croisade?

21. Les nobles seigneurs partirent-ils sans armes et sans provisions?

22. Par qui cette armée fut-elle commandée?

23. Quelles misères les Croisés eurent-ils à souffrir?

24. Les Croisés arrivèrent-ils à Jérusalem?

25. Combien de temps dura le siège de la ville sainte?

26. Où se rendit Godefroy de Bouillon?

27. De quelle manière se rendit-il au tombeau du Christ?

28. Quel titre voulut-on lui donner?

29. Quel titre le pieux Godefroy prit-il?

30. Pourquoi ne voulait-il pas être roi?

Notes explicatives

le moyen âge: époque qui s'étend du cinquième au quinzième siècle.

Auvergne: ancienne province située au centre de la France.

Exercice de prononciation

Prononcez les sons [ɑ] [a]:

[ɑ]	[a]
âge	croisade
drap	fallait
passer	maltraiter
âme	arme
bras	arriver

Prononcez les phrases:

1. On les appela Croisades.

2. Il accepta le titre de baron.

3. Le moyen âge fut un âge de foi.

Expressions idiomatiques

Il se mit à prêcher.	*He began to preach.*
Tout à coup.	*Suddenly.*
Ils se mirent en route.	*They set out.*
Ils avaient faim et soif.	*They were hungry and thirsty.*

Exercices pratiques

I

Conjuguez:

1. Je ne me mets pas en route pour Paris.
2. J'ai faim et soif.
3. Je me mis à tailler des morceaux de drap.

II

Écrivez au singulier:

1. Nous avons fait un pèlerinage à Jérusalem.
2. Ils racontaient leurs malheurs.
3. Les seigneurs ont continué leur route.
4. Elles avaient faim.
5. Nous n'avons pas refusé ces provisions.

III

Écrivez au pluriel:

1. J'ai aperçu la grande ville.
2. Il se mit en route sans provisions.
3. A-t-il mendié sur la route?
4. Elle a péri de misère.
5. Tu ne savais pas le nom du pays.

IV

Écrivez les réponses aux questions (pages 31–33) de manière à former une composition suivie. Faites les changements nécessaires.

Saint Louis

LOUIS IX, ou saint Louis, avait onze ans quand il devint roi de France. Sa mère, Blanche de Castille, gouverna sagement le royaume jusqu'à la majorité de son fils.

Saint Louis était grand et beau. Il avait l'air affable et sérieux. Comme soldat sa bravoure tranquille faisait l'admiration de ceux qui combattaient à ses côtés.

Saint Louis aimait la justice. Après avoir vaincu les Anglais dans deux batailles, il leur rendit les provinces qu'il avait conquises parce qu'il ne croyait pas y avoir droit.

Il jugeait souvent les différends qui s'élevaient entre ses sujets. Tous les dimanches, en été, il s'asseyait sous un chêne au bois de Vincennes, près de Paris, et là il écoutait les plaintes des uns, la défense des autres. Quand les plaideurs parlaient tous ensemble, il les faisait taire. Ensuite il rendait son jugement et les renvoyait en paix.

Il avait grande pitié des pauvres. Il leur donnait à manger dans son palais; souvent il les servait lui-même. Il avait une pitié particulière pour les aveugles, et il fonda l'hospice des Quinze-Vingts pour trois cents aveugles qui avaient eu les yeux crevés par les infidèles en Terre sainte dans une croisade.

Saint Louis et Blanche de Castille

Il entreprit deux croisades. Dans la première, il fut fait prisonnier. Après avoir payé sa rançon, il revint en France. Dans la seconde Croisade, il fut atteint de la peste et mourut saintement sous les murs de Tunis.

Les rois de France se sont souvent appelés les fils de saint Louis, parce que c'est un grand honneur d'avoir parmi ses ancêtres un homme si bon, si pieux, si juste, un homme que l'Église a reconnu pour saint.

Questionnaire

1. Quel titre donne-t-on à Louis IX, roi de France?

2. Quel âge avait-il quand il devint roi?

3. Qui était sa mère?

4. Comment Blanche de Castille gouverna-t-elle le royaume?

5. Faites une courte description de saint Louis?

6. Que savez-vous de saint Louis comme soldat?

7. Que fit saint Louis parce qu'il aimait la justice?

8. Pourquoi rendit-il ces provinces aux Anglais?

9. Où saint Louis allait-il le dimanche pour juger les différends qui existaient entre ses sujets?

10. Où est le bois de Vincennes?

11. Assis sous un chêne, qu'est-ce que le roi écoutait?

12. Que faisait-il quand les plaideurs parlaient tous ensemble?

13. Que faisait le roi après avoir écouté les plaintes et la défense?

14. De qui avait-il grande pitié?

15. Où leur donnait-il à manger ?

16. Qui les servait dans le palais ?

17. Pour qui avait-il une pitié toute particulière ?

18. Quel hospice fonda-t-il ?

19. Pour qui fonda-t-il cet hospice ?

20. Combien de croisades entreprit-il ?

21. Pourquoi appelle-t-on ces expéditions des Croisades ?

22. Qui a prêché la première Croisade ?

23. Qui était Pierre l'Ermite ?

24. Saint Louis entreprit deux croisades ; qu'arriva-t-il dans la première qu'il entreprit ?

25. Qu'arriva-t-il dans la seconde qu'il entreprit ?

26. Comment les rois de France sont-ils souvent appelés ?

27. Pourquoi donne-t-on ce titre aux rois de France ?

28. Quel titre l'Église a-t-elle donné à Louis IX ?

Notes explicatives

Saint Louis est né en 1215 ; il est mort en 1270.

majorité : *coming of age.* L'âge de la majorité a beaucoup varié, surtout pour les rois. Pour saint Louis, sa majorité a été à vingt et un ans, mais plus tard la majorité a été déclarée à quatorze ans, puis, à dix-huit ans.

différend : remarquez que ce mot s'écrit avec un **d** final. Il veut dire une querelle, un malentendu. Le mot **différent**, écrit avec un **t**, veut dire **autre** (*different*).

Saint Louis en croisade

Tous les dimanches: *every Sunday.* Il faut le pluriel pour indiquer la succession des dimanches; **tout le dimanche** veut dire *the whole Sunday.*

Quinze-Vingts: c'est-à-dire vingt multiplié par quinze (*fifteen score*).

Exercice de prononciation

Prononcez les sons [u] [y]:

[u]	[y]	[y]
gouverna	mur	sujet
bravoure	eu	jugement
souvent	justice	fut
écoutait	vaincu	reconnu

Prononcez les phrases:

1. Saint Louis était grand et beau.
2. Il jugeait les différends qui s'élevaient entre eux.
3. L'Église l'a reconnu pour saint.

Expressions idiomatiques

Quel âge avait-il?	*How old was he?*
Il avait onze ans.	*He was eleven years old.*
Il avait l'air affable.	*He looked kind.*
Il les faisait taire.	*He made them keep quiet.*

Exercices pratiques

I

Conjuguez:

1. Quel âge ai-je?
2. Je n'ai pas quatorze ans.
3. Je n'avais pas l'air sérieux.
4. Je les fais taire.

II

Mettez les verbes au passé défini (passé simple) :

1. La reine (**gouverner**) le royaume de France.
2. Le roi (**rendre**) les provinces aux Anglais.
3. Il (**fonder**) un hospice pour les aveugles.
4. Il (**entreprendre**) deux croisades.
5. Les Anglais ne (**perdre**) pas leurs provinces.
6. Les soldats (**revenir**) en France.

III

Écrivez au pluriel:

1. Cet aveugle est malheureux.
2. Le roi fit la guerre.
3. J'ai vaincu mon ennemi.
4. Tu fais l'admiration de tous.
5. J'aimais la justice.

IV

Écrivez les réponses aux questions (pages 37–38) de manière à former une composition suivie.

Les Troubadours et les Trouvères

LES troubadours et les trouvères étaient des poètes. Les premiers habitaient le Midi de la France. Ils allaient de château en château composant et disant des vers qu'ils chantaient en s'accompagnant du luth. La langue qu'ils parlaient était le provençal ou langue d'oc, langue qu'on parle encore dans le Midi.

Les troubadours étaient toujours les bienvenus, car ils apportaient les nouvelles des châteaux qu'ils avaient visités, des pays qu'ils avaient traversés. Et puis ne chantaient-ils pas la beauté des dames et l'admiration et l'amour que cette beauté inspirait ? Ne chantaient-ils pas les exploits des seigneurs, pour en transmettre le récit à la postérité ?

Ils assistaient aux tournois et, le soir, dans la grande salle du château, au milieu des seigneurs et des belles châtelaines, ils disaient des vers. Il y avait aussi des tournois entre les poètes, et de ces concours littéraires est sortie l'institution des Jeux Floraux de Toulouse. Le lauréat du concours recevait une fleur symbolique. Ces fleurs sont l'églantine, le jasmin, l'amarante, l'immortelle, la primevère, le lis, la violette, l'œillet et le souci.

Les trouvères habitaient le nord de la France. Ils ne voyageaient pas comme les troubadours ; ils étaient attachés à la maison de quelque grand seigneur. La

Les Troubadours chantaient la beauté des dames

langue qu'ils parlaient était la langue d'oïl, qui est devenue le français moderne. Dans cette langue ils racontaient les prouesses des seigneurs chez qui ils vivaient et qu'ils accompagnaient dans leurs guerres, afin de pouvoir chanter en vers les belles actions, les victoires de leurs maîtres.

On peut donc dire que les trouvères sont les ancêtres des historiens.

Les seigneurs et les bourgeois prenaient des leçons des troubadours et des trouvères, et, à leur tour, ils disaient des vers. Quelques-uns sont devenus célèbres. Voici, mis en français moderne, un rondel que Charles d'Orléans a composé au quatorzième siècle :

Le temps a laissé son manteau
De vent, de froidure et de pluie,
Et s'est vêtu de broderie
De soleil rayant, clair et beau.

Il n'y a bête ni oiseau
Qu'en son jargon ne chante ou crie :
« Le temps a laissé son manteau
De vent, de froidure et de pluie. »

Rivière, fontaine et ruisseau
Portent en livrée jolie
Gouttes d'argent d'orfèvrerie ;
Chacun s'habille de nouveau.
Le temps a laissé son manteau
De vent, de froidure et de pluie.

Questionnaire

1. Définissez les troubadours et les trouvères.

2. Où habitaient les troubadours?

3. Où allaient-ils dire leurs vers?

4. Avec quoi s'accompagnaient-ils?

5. Quelle langue parlaient-ils?

6. Dans quelle partie de la France parle-t-on encore cette langue?

7. Pourquoi les troubadours étaient-ils toujours les bienvenus?

8. Et puis, que chantaient-ils?

9. Pourquoi chantaient-ils les exploits des seigneurs?

10. A quoi assistaient-ils?

11. Qu'est-ce que c'est qu'un tournoi?

12. Qu'est-ce que les poètes faisaient le soir après le tournoi?

13. N'y avait-il que des tournois entre les seigneurs?

14. Qu'est-ce qui est sorti de ces concours littéraires?

15. Que recevait le lauréat du concours?

16. Nommez ces fleurs.

17. Où habitaient les trouvères?

18. Voyageaient-ils comme les troubadours?

19. A quoi et à qui étaient-ils attachés?

20. Quelle langue parlaient-ils?

21. Que savez-vous de cette langue d'oïl?

22. Que racontaient-ils?

23. Pourquoi accompagnaient-ils les seigneurs dans leurs guerres?

24. Que peut-on dire encore des trouvères?

25. Qui prenaient des leçons de ces poètes?

26. Relisez clairement et lentement le fameux rondel de Charles d'Orléans.

Notes explicatives

le Midi: ce mot s'emploie au lieu de **sud.**

le luth: un ancien instrument de musique à cordes.

le provençal: la Provence est une ancienne province de la France, située dans la partie méridionale du pays. Les habitants de la Provence s'appellent Provençaux et leur langue était le provençal, qu'on parle encore aujourd'hui dans les campagnes.

tournoi: fête dans laquelle les combattants luttaient à cheval et avec des armes courtoises. Des lois régissaient ces joutes: on ne devait pas blesser son rival ni frapper celui qui était désarmé. Le gagnant portait les couleurs de la dame de ses pensées.

Jeux Floraux: concours littéraire qui avait lieu à certaines dates. Les concurrents étaient enfermés et écrivaient un morceau littéraire. C'était un grand honneur que de recevoir le prix. Les Jeux Floraux existent encore à Toulouse.

la langue d'oïl: **oïl** veut dire « oui ». La langue d'oïl était la langue qui était parlée à Paris et ses environs. Parce que les rois de France parlaient la langue d'oïl, cette langue est devenue la langue du pays, c'est-à-dire le français. Le provençal s'appelait la langue d'oc; **oc** veut dire « oui » en provençal.

Exercice de prononciation

Prononcez la diphtongue [wa]:

moi	voyage	bourgeois
tournoi	pouvoir	froidure
voici	victoire	pourquoi
exploit	histoire	le soir
le roi	une croisade	une croix

Prononcez les phrases suivantes:

1. Les troubadours assistaient aux tournois des seigneurs.
2. Le vent a laissé son manteau de vent, de froidure et de pluie.
3. Ils parlaient la langue d'oïl.
4. Vous êtes toujours le bienvenu.

Expressions idiomatiques

De château en château.	*From castle to castle.*
S'accompagner du luth.	*Accompanied themselves with the lute.*
Ils étaient les bienvenus.	*They were welcome guests.*
Chez qui.	*At whose house.*
A leur tour.	*In their turn.*

Exercice pratique

I

Conjuguez:

1. Je disais des vers.
2. Je suis devenu poète.
3. Je peux le dire.
4. Ai-je composé un rondel?

II

Mettez les verbes entre parenthèses au passé indéfini:

1. Nous (**dire**) des vers ce matin.

2. Ces poètes (**devenir**) fameux.

3. Est-ce qu'ils (**assister**) à ce concours littéraire?

4. Les châtelaines ne (**sortir**) pas ---- avec les bourgeois.

5. Qui (**composer**) le rondel que vous avez lu?

III

Écrivez les réponses aux questions (page 45) de manière à former une composition suivie.

Jeanne d'Arc

AU QUINZIÈME siècle, la France, envahie par les Anglais, semblait perdue. Son roi Charles VI était devenu fou ; sa femme, la reine, une méchante femme, avait marié sa fille au roi d'Angleterre et avait promis la France à leurs enfants ; les princes féodaux s'étaient alliés aux Anglais, qui possédaient la moitié de la France. Tout espoir semblait perdu quand tout à coup parut Jeanne d'Arc.

Jeanne était une paysanne de la Lorraine. Les pèlerins, très nombreux à cette époque, qui passaient par les villages, racontaient les malheurs de la pauvre France. Et le cœur de la bonne Lorraine, en les écoutant, se serrait de douleur.

Elle aimait la France et son jeune et malheureux dauphin, fils et successeur de Charles VI. Le dauphin n'était pas encore sacré roi.

Un jour, elle était dans les champs au milieu de son troupeau ; tout à coup, elle croit entendre des voix célestes qui lui commandent d'aller délivrer le roi de France.

Émue, elle se jette à genoux et dit : « Comment voulez-vous que je délivre le roi ; moi, pauvre fille qui ne sais même pas manier les armes ? »

Cependant les voix insistent. A la fin, après bien des difficultés, Jeanne part et arrive devant le roi

Jeanne d'Arc à Orléans

Charles VII, réfugié à Chinon, pauvre prince sans royaume, sans armée, sans amis.

Jeanne réussit à convaincre de sa mission divine le roi incrédule. Il lui donne une petite troupe. Aussitôt, elle se dirige vers la ville d'Orléans, assiégée par les Anglais. Elle force ceux-ci à lever le siège.

Enfin, au milieu de grands dangers, elle conduit le roi à Reims, où il est sacré roi de France dans la cathédrale, cette même cathédrale où Clovis reçut le baptême en 496 et où tous les rois de France devaient être couronnés.

Après le sacre du roi, Jeanne déclare sa mission accomplie; mais le roi la retient. Après quelque hésitation, Jeanne accepte.

Victorieuse partout, elle veut marcher sur Paris.

Malheureusement, à Compiègne, Jeanne est faite prisonnière. Les Anglais la conduisent à Rouen, où, abandonnée de tous, elle est condamnée à mort.

Les Anglais élèvent un bûcher. Elle y monte courageusement, n'accusant ni Dieu ni son roi. Le bourreau la lie au poteau, et elle expire au milieu des flammes. Elle avait dix-neuf ans.

Sa mission était accomplie. Quelques années plus tard, il ne restait plus à l'Angleterre que la ville de Calais.

Questionnaire

1. Au quinzième siècle, comment la France semblait-elle?

2. Par qui était-elle envahie?

3. Dans quel état était le roi Charles VI ?

4. A qui la reine avait-elle marié sa fille ?

5. A qui les princes féodaux s'étaient-ils alliés ?

6. A quel moment parut Jeanne d'Arc ?

7. Où habitait Jeanne ?

8. Qui passaient très nombreux par les villages ?

9. Que racontaient-ils ?

10. Comment Jeanne se sentait-elle en écoutant ces pèlerins ?

11. Aimait-elle la France ?

12. Qu'arriva-t-il un jour qu'elle était dans les champs au milieu de son troupeau ?

13. Que lui commandaient ces voix célestes ?

14. Que dit Jeanne en les entendant ?

15. Les voix insistent-elles ?

16. Jeanne part-elle ?

17. Où le roi est-il réfugié ?

18. Jeanne réussit-elle à le convaincre ?

19. Que lui donne-t-il ?

20. Où se dirige-t-elle aussitôt ?

21. Par qui la ville d'Orléans est-elle assiégée ?

22. A quoi force-t-elle ceux-ci ?

23. Où conduit-elle enfin le roi ?

24. Où le roi de France est-il sacré ?

25. Que déclare Jeanne après le sacre du roi ?

26. Que fait le roi ?

Cathédrale de Reims

27. Jeanne accepte-t-elle ?

28. Sur quelle ville veut-elle marcher ?

29. Où Jeanne est-elle faite prisonnière ?

30. Où les Anglais la conduisent-ils ?

31. A quoi est-elle condamnée ?

32. Comment monte-t-elle sur le bûcher ?

33. Où le bourreau la lie-t-il ?

34. Comment expire-t-elle ?

35. Quel âge avait-elle ?

36. Que restait-il à l'Angleterre quelques années après la mort de Jeanne d'Arc ?

37. Sa mission était-elle accomplie ?

Notes explicatives

Au quinzième siècle : on ne dit pas « **dans** le quinzième siècle », *in the fifteenth century*, comme en anglais.

Lorraine : ancienne province de France située au nord-est. Un habitant de la Lorraine est un Lorrain ; le féminin de **Lorrain** est **Lorraine.**

dauphin : le fils aîné du roi de France s'appelait le dauphin. Ce titre avait été donné à un souverain du Dauphiné parce qu'il portait sur le cimier de son casque la figure du poisson connu sous le nom de **dauphin**, en anglais *dolphin*. Plus tard, cette province fut cédée au roi de France, qui la donna en apanage, avec le titre de « dauphin », à son fils aîné.

Charles VII : le dauphin.

Reims : tous les rois de France devaient être sacrés à Reims. Remarquez l'orthographe de ce mot. Comparez-la à l'orthographe du mot anglais.

Exercice de prononciation

Prononcez les nasales:

[ɑ̃]	[ɛ̃]	[ɔ̃]
semblait	pèlerin	nombre
Angleterre	dauphin	son
méchante	bien	conduit
écoutant	fin	Chinon
entendre	retient	mission
cependant	vaincre	accompli
envahi	prince	monte
France	quinze	Compiègne

Lisez en faisant les liaisons:

1. Tout‿espoir semblait perdu quand tout‿à coup parut Jeanne d'Arc.
2. Les Anglais‿élèvent‿un bûcher.
3. Quelques‿années plus tard, il ne restait plus à l'Angleterre que la ville de Calais.
4. Le pauvre prince était‿à Reims, sans‿armée et sans‿amis.
5. Les voix‿insistent‿elles?

Expressions idiomatiques

Au quinzième siècle.	*In the fifteenth century.*
Son cœur se serrait de douleur.	*Her heart was wrung with grief.*
Elle se jette à genoux.	*She throws herself on her knees.*
Elle avait dix-neuf ans.	*She was nineteen years old.*
Il ne restait plus que la ville de Calais.	*There remained only the city of Calais.*

Exercices pratiques

I

Conjuguez:

1. Je me jette à genoux.
2. J'avais dix-neuf ans.
3. J'ai faim et soif.

II

Mettez les verbes à l'imparfait:

1. La reine (**être**) une méchante femme.
2. Beaucoup de pèlerins (**passer**) par les villages.
3. Ils (**raconter**) les malheurs du pays.
4. J'(**aimer**) la France.
5. Les Anglais (**posséder**) la moitié de la France.

III

Faites accorder les adjectifs:

1. La France était (**malheureux**).
2. La mission de Jeanne était (**divin**), mais le roi était (**incrédule**).
3. Le roi n'était pas (**méchant**), mais la reine était une (**méchant**) femme.
4. Elle court de (**grand**) dangers.
5. Jeanne entendit des voix (**céleste**).

IV

Écrivez une petite histoire de Jeanne d'Arc en vous servant des réponses aux questions (page 53) comme guide.

Le Chevalier sans peur et sans reproche

BAYARD est né à Grenoble en 1476. Il était tout enfant encore quand il disait à son père : « Je porterai les armes comme ceux de ma maison et serai vaillant chevalier. »

A treize ans, il alla à la cour du duc de Savoie comme page, pour apprendre le métier des armes.

A cette époque les jeunes nobles allaient vivre auprès de quelque chevalier de renom pour apprendre les lois de la chevalerie et s'exercer aux bonnes manières.

Le jeune Bayard se développa si vite que le duc de Savoie l'amena avec lui dans une visite qu'il alla faire au roi de France. Le roi fut si émerveillé de voir avec quelle adresse le jeune homme montait son cheval qu'il désira le garder près de lui, et le duc de Savoie, pour satisfaire le désir du roi, laissa Bayard à la cour de France.

Là Bayard continua ses études, si bien qu'à dix-sept ans il fut armé chevalier.

Un jour que le roi de France faisait la guerre en Italie, à lui seul Bayard sauva l'armée française. L'armée campait non loin du fleuve Garigliano. Bayard, qui s'était éloigné du gros de l'armée, aperçut deux cents cavaliers qui se dirigeaient vers un pont pour cerner les troupes françaises.

Tout de suite, Bayard envoie son compagnon, Pierre de Tardes, prévenir les Français, et lui se poste à la tête du pont.

Les quatre premiers cavaliers qui avancent mordent la poussière, ainsi que leur capitaine. Bayard se bat comme un lion, et se défend si vigoureusement qu'il tient tête aux ennemis.

Enfin, les secours arrivent aux cris de *France et Bayard!* En entendant ces mots les ennemis s'enfuient, sûrs d'avance d'être vaincus par le bon chevalier.

Il avait alors vingt-sept ans. On le surnomma « le Chevalier sans peur et sans reproche ».

Il servit trois rois de France. Il se battit contre les Italiens, les Espagnols et les Anglais, et partout il fut le modèle des chevaliers. Ses adversaires, tout en le combattant, l'admiraient.

Il mourut d'un coup d'arquebuse, en 1524. Quand la nouvelle se répandit que Bayard était blessé, tout le monde oublia la guerre pour déplorer le malheur d'un homme si valeureux. Le marquis de Pescara, un adversaire, fit transporter sa propre tente pour abriter Bayard, et de ses propres mains il aida à déposer le blessé sur son lit. Bayard adressa une fervente prière à Dieu, le suppliant de recevoir son âme, et bravement le bon chevalier mourut comme il avait vécu.

Questionnaire

1. Quel est le surnom de Bayard?
2. Où est-il né?
3. En quelle année est-il né?
4. Que disait-il tout enfant?
5. Où alla-t-il à treize ans?
6. Pourquoi alla-t-il à la cour du duc de Savoie?
7. Où allaient vivre les jeunes nobles à cette époque?
8. Pourquoi allaient-ils vivre auprès de ces chevaliers?
9. Pourquoi le duc de Savoie amena-t-il Bayard à la cour du roi de France?
10. Quelle impression Bayard produisit-il sur le roi?
11. Que désira le roi?
12. Bayard retourna-t-il avec le duc de Savoie?
13. Que fit Bayard à la cour du roi de France?
14. A quel âge fut-il armé chevalier?
15. Où le roi de France faisait-il la guerre à cette époque?
16. Qui était avec Bayard lorsqu'il sauva l'armée française?
17. Près de quel fleuve l'armée française campait-elle?
18. Qu'est-ce que Bayard aperçut?
19. Où se poste-t-il?
20. Qu'arrive-t-il aux quatre cavaliers qui avancent?
21. Comment se bat-il?
22. Quand les secours arrivent, quels cris entend-on?

23. Que font les ennemis en entendant ces mots?

24. Pourquoi s'enfuient-ils?

25. Quel âge avait alors Bayard?

26. Quel surnom donna-t-on à Bayard?

27. Combien de rois de France a-t-il servis?

28. Contre qui s'est-il battu?

29. Qu'est-ce qu'il a été partout?

30. En quelle année est-il mort?

31. Qu'arriva-t-il quand la nouvelle se répandit que Bayard était blessé?

32. Que fit son adversaire, le marquis de Pescara?

33. Quelle prière Bayard adressa-t-il à Dieu?

34. Comment le brave chevalier mourut-il?

Notes explicatives

il fut armé chevalier: pour devenir chevalier, il fallait non seulement savoir manier les armes et connaître les lois de la chevalerie, mais encore avoir accompli un certain nombre d'actions glorieuses.

le roi de France faisait la guerre en Italie: le roi désirait obtenir le trône de Naples auquel il prétendait avoir droit. C'est pourquoi il faisait la guerre en Italie.

Exercice de prononciation

Prononcez les sons [œ] *et* [ø]:

[œ]	[ø]
peuple	ceux
peur	nombreux

[œ]	[ø]
cœur	deux
seul	vigoureux
fleuve	courageux
neuf	milieu

Lisez en faisant les liaisons:

Il était aussi très brave.
Il était tout enfant encore quand il disait à son père.
Il avait alors vingt-sept ans.
Les malheureux ennemis se sont enfuis.

Expressions idiomatiques

Il était tout enfant encore.	*He was still only a child.*
A lui seul il sauva l'armée.	*He saved the army all by himself.*
Tout de suite.	*Right away.*
Il tient tête aux ennemis.	*He holds his own against the enemy.*
Il avait vingt-sept ans.	*He was twenty-seven years old.*

Exercices pratiques

I

Conjuguez:

1. Je porterai les armes.
2. Je serai un vaillant chevalier.
3. Je n'aurai pas peur des ennemis.
4. Je répandrai la nouvelle.
5. Je choisirai mon adversaire.
6. J'irai à la cour du roi.

II

Écrivez au futur:

1. Il fait la guerre en Italie.
2. Ils avancent vers l'ennemi.
3. Les secours arrivent trop tard.
4. Nous sauvons l'armée à nous seuls.
5. Je vais à la cour.
6. Avez-vous peur de cet homme?

III

Remplacez les traits par **ce ou il**:

1. ____ était un chevalier.
2. ____ n'avait pas peur de ses ennemis.
3. ____ n'était pas un roi.
4. ____ est le capitaine qui arrive.
5. Est-____ mon ami que vous voyez?

IV

Écrivez l'histoire de Bayard, en vous servant des réponses aux questions (pages 59–60) comme guide.

François premier

FRANÇOIS Ier, successeur de Louis XII, surnommé « le Père du peuple », fit aussi la guerre en Italie. Il franchit les Alpes si vite que le général ennemi, surpris, s'écria : « Les Français volent donc par-dessus les montagnes ! »

Une bataille, qui plus tard est devenue célèbre, s'engagea. Les trompettes donnèrent l'alarme. Le roi s'écria : « Qui m'aime me suive ! »

Les combattants se battaient avec une impétuosité incroyable. Le combat, commencé à quatre heures de l'après-midi, se continua au clair de lune. Quand la lune disparut, les deux partis furent forcés de prendre quelques heures de repos.

Le lendemain au point du jour, le combat recommença plus acharné, plus sanglant encore.

Enfin les Suisses furent vaincus, et, sur le champ de bataille de Marignan, François Ier fut armé chevalier par Bayard, dont la valeur avait puissamment contribué au succès de la journée.

Marignan est une page glorieuse de l'histoire de France. La bataille de Marignan a été appelée « la bataille des Géants », et François Ier est souvent appelé « le Vainqueur de Marignan ».

François Ier savait vaincre, mais il savait aussi accepter la défaite. A Pavie, il fut vaincu et fait

François premier

prisonnier. Ce jour-là, il écrivit à sa mère : « Madame, tout est perdu, fors l'honneur. »

François Ier était un roi très chevaleresque. Il était le type du parfait gentilhomme, droit, généreux, noble, courtois. Il est vrai que l'on dit que ces

Le Château de Chambord

brillantes qualités étaient plutôt de surface que de cœur. Quoi qu'il en soit, François Ier et sa cour ont donné aux Français cette courtoisie affable qui est devenue une des marques de leur caractère national.

Il vécut au château de Chambord, et dans un moment de tristesse il écrivit sur une des fenêtres du château :

Souvent femme varie,
Bien fol qui s'y fie.

C'est sous François Ier que les états de l'Europe entrent en relations régulières et suivies. Chaque souverain entretient des ambassadeurs dans toutes les cours pour le représenter. C'est alors que naquit véritablement la *diplomatie*, c'est-à-dire l'art de régler les rapports des états entre eux.

Questionnaire

1. De qui François Ier est-il le successeur?
2. Où fit-il la guerre?
3. Comment franchit-il les Alpes?
4. Que dit alors le général ennemi?
5. Que dit le roi quand les trompettes donnèrent l'alarme?
6. Comment se battaient les combattants?
7. A quelle heure le combat commença-t-il?
8. Se continua-t-il après le coucher du soleil?
9. Quand les deux partis furent-ils forcés de prendre quelque repos?
10. Le combat recommença-t-il?
11. Quels furent les vaincus?
12. Comment s'appelle cette bataille?
13. Qu'arriva-t-il à François Ier sur le champ de bataille de Marignan?
14. Comment appelle-t-on souvent François Ier dans l'histoire?
15. Le roi de France ne savait-il que vaincre?
16. Où fut-il vaincu et fait prisonnier?

17. Qu'écrivit-il alors à sa mère?

18. Quel type représente François Ier?

19. Énumérez les qualités du parfait gentilhomme.

20. Qu'est-ce que François Ier et sa cour ont donné aux Français?

21. Dans quel château vécut François Ier?

22. Qu'est-ce qu'il écrivit un jour sur une des fenêtres du château?

23. Quand naquit véritablement la diplomatie?

Notes explicatives

trompettes: ***une* trompette,** c'est l'instrument à vent qu'on appelle en anglais *trumpet*; ***un* trompette,** c'est l'homme qui joue de la trompette et qu'on appelle en anglais *trumpeter.*

les Suisses: les princes avaient l'habitude de louer des troupes, qui les aidaient dans leurs guerres. On recrutait ces troupes surtout en Suisse. A Marignan, les Suisses étaient payés par le duc de Milan. François Ier prétendait au duché de Milan parce que Valentine Visconti, fille du premier duc de Milan, avait épousé le frère du roi de France, Charles VI.

savait vaincre: savoir est suivi d'un infinitif sans le mot **comment**; ainsi, **savoir accepter, savoir lire.**

Exercice de prononciation

Prononcez les sons [ʃ] *et* [ɲ]:

[ʃ]	[ɲ]
chaque	montagne
acharné	Marignan

[ʃ]	[ɲ]
champ	Compiègne
chevaleresque	campagne
château	seigneur
Charles	Auvergne
Chinon	Allemagne
bûcher	Charlemagne
enchanté	Espagne
charme	accompagner

Phrases qui sont devenus des dictons

Qui m'aime me suive!	*Let him follow me who loves me!*
Souvent femme varie.	*Often women change their minds.*
Tout est perdu, fors l'honneur.	*All is lost save honor.*

Exercices pratiques

I

Récitez à toutes les personnes:

1. J'ai écrit à ma mère.
2. Je me promène au clair de lune.
3. J'ai été forcé de prendre quelques heures de repos.

II

Écrivez les phrases suivantes au passé composé (*passé indéfini*) :

1. Il fit la guerre en Italie.
2. Ils franchirent les Alpes.
3. Les trompettes donnèrent l'alarme.
4. Le lendemain le combat recommença.

III

Donnez le contraire des mots suivants:

1. Lentement.
2. Un ami.
3. Rarement.
4. La campagne.
5. L'eau.
6. La victoire.
7. Un défaut.
8. Le succès.
9. Gagner.
10. Le jour.
11. La paix.
12. Mourir.

IV

Écrivez un incident de la vie de François Ier.

Jacques Cartier

L'HOMME a toujours cherché l'inconnu. Aujourd'hui, l'homme cherche à découvrir les secrets de l'air, et nous avons le radio, la télégraphie sans fil, l'aviation, la télévision. Autrefois, l'homme cherchait des terres nouvelles, des mers inconnues.

Jacques Cartier

Chaque pays honore quelque intrépide voyageur qui s'est aventuré où personne avant lui n'avait mis les pieds. Christophe Colomb est sans doute le plus célèbre de ces voyageurs, mais il y en a bien d'autres.

Au milieu du seizième siècle, Jacques Cartier, un de ces navigateurs attirés vers le nouveau monde, partit de Saint-Malo, port de mer situé en Bretagne.

Les rois d'Espagne et de Portugal avaient fondé des colonies dans l'Amérique méridionale ; François Ier, un jour, dit en plaisantant : « Quoi, ces princes se partagent tranquillement entre eux le nouveau monde! Je voudrais bien voir l'article du testament d'Adam qui leur lègue l'Amérique! » Pour avoir sa part du legs d'Adam, le roi François Ier avait chargé Jacques Cartier de rechercher au nord du nouveau monde un passage vers l'Asie.

Le navigateur avait deux vaisseaux de soixante tonneaux et cent vingt hommes. Il navigua vers l'ouest et après vingt jours arriva à la côte de Terre-Neuve. Mais il ne s'arrêta pas là. Il continua ses explorations. Il prit possession du Labrador pour le roi de France, et se rendit jusqu'au golfe Saint-Laurent.

Après six mois d'absence, il retourna à Saint-Malo. Il emmenait avec lui deux sauvages, comme on appelait alors les Indiens. Ces indigènes eurent un grand succès à la cour du roi. Ils apprirent le français et racontèrent aux Français des histoires invraisemblables sur leur pays qu'ils appelaient *Kanata,* mot qui dans la langue huronne et dans la langue iroquoise veut dire « ville ».

Ces sauvages parlaient souvent d'un village qu'ils nommaient Hochelaga, où se trouvaient des choses rares et merveilleuses; Jacques Cartier eut le désir de se rendre jusque-là. Il repartit donc avec trois vaisseaux et les deux Indiens. Il remonta le fleuve Saint-Laurent jusqu'à Stadacona et Hochelaga, sur l'emplacement de la ville actuelle de Montréal.

Il passa l'hiver dans le port de Montréal. L'hiver fut rigoureux. Les vaisseaux étaient pris dans la glace. Jacques Cartier et ses hommes, habitués au climat tempéré de la Bretagne, n'étaient pas préparés pour un climat si différent. Ils eurent à souffrir cruellement. Beaucoup moururent de froid et de maladie. Enfin, le 3 mai 1536, Jacques Cartier fit élever une grande croix, haute de trente-cinq pieds, sur laquelle il y avait un écusson aux armes de France avec cette inscription en latin : *François Ier, par la grâce de Dieu roi des Français, règne.*

Trois jours après, le samedi 6 mai, il partit pour la France. Il eut un vent favorable et arriva à Saint-Malo le 16 juillet suivant. Jacques Cartier avait donné à la France un pays, le Canada, qui resta français jusqu'en 1763.

Questionnaire

1. Qu'est-ce que l'homme a toujours cherché ?

2. Que cherche-t-il aujourd'hui ?

3. Quel est le résultat de ces recherches ?

4. Que cherchaient les hommes autrefois ?

5. Quels personnages chaque pays honore-t-il ?

6. Comment s'appelle le plus célèbre des navigateurs anciens ?

7. A quelle époque Jacques Cartier partit-il de Saint-Malo ?

8. Où est situé Saint-Malo ?

9. Qu'est-ce que les rois d'Espagne et de Portugal avaient fondé ?

10. Que dit François Ier un jour à propos des possessions de ces rois ?

11. Que fit François Ier pour avoir sa part du legs d'Adam ?

12. Combien de vaisseaux et combien d'hommes avait Jacques Cartier ?

13. Pendant combien de jours navigua-t-il ?

14. Où arriva-t-il ?

15. Où continua-t-il ses explorations ?

16. Combien de temps resta-t-il loin de son pays ?

17. Quand il retourna à Saint-Malo, qui emmena-t-il avec lui ?

18. Comment ces sauvages furent-ils reçus à la cour du roi de France ?

19. Que racontèrent-ils aux Français ?

20. Comment appelaient-ils leur pays ?

21. Comment s'appelle aujourd'hui ce pays ?

22. Jusqu'où se rendit Jacques Cartier à son deuxième voyage ?

23. Où passa-t-il l'hiver ?

24. Pourquoi Jacques Cartier et ses hommes ont-ils tant souffert pendant l'hiver ?

25. Que fit Jacques Cartier le 3 mai 1536 ?

26. Quelle inscription mit-il sur cette croix ?

27. Quand partit-il pour la France ?

28. Quand arriva-t-il à Saint-Malo ?

29. Qu'est-ce que Jacques Cartier avait donné à la France ?

Notes explicatives

Bretagne: une des provinces de l'ancienne France.

dans l'Amérique méridionale: parce que le nom **Amérique** est suivi d'un adjectif, il faut dire **dans l'** et non **en**: **en Amérique, dans l'Amérique méridionale.**

Ils apprirent le français: on emploie l'article devant le nom des langues, excepté avec le verbe **parler.**

le 3 mai 1536: dans les dates, le nombre cardinal est en usage. Remarquez qu'il n'y a pas de virgule entre le nom du mois et celui de l'année.

haute de trente-cinq pieds: *thirty-five feet high.*

Exercices de prononciation

Prononcez les sons [u] [ɔ] [o]:

[u]	[ɔ]	[o]
toujours	homme	radio
découvrir	inconnu	Saint-Malo
aujourd'hui	honore	autres
doute	port	côte
nouveau	colonie	repos
jour	méridionale	plutôt
mourir	tonneau	pauvre
voudrais	exploration	rideau
courtois	favorable	chaud
cour	iroquoise	lot

Prononcez couramment:

Aujourd'hui nous avons le radio, la télégraphie sans fil, l'aviation et la télévision.

Il continua ses explorations et prit possession du Labrador.

Expressions idiomatiques

Il se rendit jusqu'au golfe.	*He went as far as the gulf.*
Cela veut dire.	*That means.*
Le désir de se rendre jusque-là.	*The desire to go so far.*
Jacques Cartier fit élever une croix.	*Jacques Cartier erected a cross.*
Une croix de trente-cinq pieds.	*A cross thirty-five feet high.*

Exercices pratiques

I

Conjuguez:

1. Je n'y avais pas mis les pieds.
2. Je voudrais bien voir.
3. J'étais habitué à un climat tempéré.
4. Je suis retourné en Amérique.

II

Mettez les verbes entre parenthèses au passé indéfini ou à l'imparfait, selon le sens de la phrase:

1. Quand nous (**aller**) en Amérique, il (**faire**) très froid.

2. Le navigateur (**repartir**) ; mais il ne (**repartir**) pas seul, il (**emmener**) deux Indiens.

3. (**Être**) vous content de faire ce voyage ? Le voyage (**durer**) trois mois.

4. Autrefois les hommes (**chercher**) des pays nouveaux ; ils en (**prendre**) possession au nom de leur roi.

5. Nos grands-parents nous (**léguer**) un morceau de terre qu'ils (**avoir**) cultivé toute leur vie.

III

Faites accorder les adjectifs qui sont entre parenthèses:

1. Nous avons découvert des pays (**inconnu**).

2. Regardez cette (**nouveau**) robe et ce (**nouveau**) chapeau.

3. Marie n'est pas (**habitué**) à une température aussi (**froid**).

4. Ces vaisseaux sont (**vieux**).

5. L'air était (**chaud**) et le vent (**favorable**).

IV

Écrivez une composition sur Jacques Cartier et la découverte du Canada.

Le Bon Roi Henri

IL Y A bien longtemps, plus de trois cents ans, il y avait en France un roi qu'on appelait « le Bon Roi Henri ».

Il était né dans cette partie méridionale de la France qu'on appelait le Béarn, et qui est située aux pieds des Pyrénées.

Son père était Antoine de Bourbon. Sa mère était Jeanne d'Albret. Elle était la reine du petit royaume de Navarre auquel appartenait le Béarn.

Comme la reine de Navarre et son mari Antoine de Bourbon étaient pauvres, leur fils Henri fut élevé comme les autres enfants du royaume, c'est-à-dire qu'au lieu d'être enfermé dans un château avec des précepteurs, il courait librement dans la montagne, grimpait sur les rochers ou dans les arbres, jouait des tours à ses camarades, enfin, il était ce qu'on appellerait ici *a real boy.*

Par son père, Henri était le cousin du roi de France au vingt et unième degré, ce qui n'est pas être proche parent. Malgré cela, le roi de France étant mort sans enfants, Henri de Navarre réclama la couronne, parce qu'il n'y avait pas d'autres héritiers et qu'il était le descendant d'un grand roi de France appelé saint Louis ou Louis IX, qui avait vécu au treizième siècle.

Henri IV, roi de France et de Navarre

Il y eut des guerres, des batailles. Avant une de ces batailles, à Ivry, Henri, que les soldats appelaient « le Roi des braves », dit à ses soldats : « Mes amis, vous êtes Français, je suis votre roi. Voilà l'ennemi, suivez-moi. Si vous perdez vos enseignes, ralliez-vous à mon panache blanc. Vous le trouverez toujours sur le chemin de l'honneur et de la gloire. »

Il était l'ami de ses capitaines. Parmi ces capitaines il y en avait un appelé Crillon. Un jour le roi livra une bataille à Arques. Crillon, qui avait été blessé quelque temps auparavant, n'avait pas pu assister à la bataille d'Arques. Henri lui écrivit cette lettre : « Pends-toi, brave Crillon, nous avons combattu à Arques et tu n'y étais pas ! »

Il était bon père. Un jour, il jouait avec ses enfants dans un salon du Louvre, quand l'ambassadeur d'Espagne entra. Le roi se tourna vers l'ambassadeur et lui dit : « Avez-vous des enfants, Monsieur l'ambassadeur ? — Oui, Sire, répondit l'ambassadeur. — Dans ce cas, je puis achever le tour de la chambre. » Il faisait le cheval et son jeune fils était le cavalier.

Il gouverna le pays avec sagesse et bonté. Il développa le commerce, créa des manufactures, protégea les paysans. Il disait : « Si Dieu me prête vie, je ferai qu'il n'y aura pas de paysan qui n'ait le moyen de mettre la poule au pot le dimanche. »

Malheureusement, il n'eut pas le temps de voir l'accomplissement de ce désir, car un fanatique qui s'appelait Ravaillac assassina le bon roi Henri. Sa mort plongea la France dans une douleur profonde.

Questionnaire

1. Quel bon roi régnait en France il y a plus de trois cents ans?

2. Dans quelle partie de la France était-il né?

3. Où est située l'ancienne province de Navarre?

4. Qu'est-ce que c'est que les Pyrénées?

5. Regardez la carte de France et nommez d'autres montagnes.

6. Comment s'appelait le père du bon roi Henri?

7. Comment s'appelait sa mère?

8. De quel petit royaume était-elle reine?

9. Comment Henri fut-il élevé?

10. Pourquoi ne fut-il pas élevé dans un grand luxe?

11. Que faisait le jeune Henri au lieu d'être enfermé avec des précepteurs?

12. Comment appellerait-on un tel garçon en Amérique?

13. De qui Henri était-il le cousin?

14. A quel degré était-il parent du roi de France?

15. A quel titre Henri de Navarre réclama-t-il la couronne de France?

16. A quelle époque saint Louis a-t-il vécu?

17. Que savez-vous de saint Louis?

18. Comment les soldats appelaient-ils Henri?

19. Imaginez que vous êtes Henri avant la bataille d'Ivry, et que vous êtes devant vos soldats. Répétez les paroles qu'Henri prononça.

20. Nommez un des capitaines de Henri.

21. Pourquoi Crillon n'avait-il pas pu assister à la bataille d'Arques ?

22. Que lui écrivit Henri après la bataille ?

23. Qu'arriva-t-il un jour que l'ambassadeur d'Espagne vint faire une visite au roi Henri ?

24. Que faisait le roi à ce moment ?

25. Comment gouverna-t-il le pays ?

26. Que développa-t-il ? Que créa-t-il ? Qui protégea-t-il ?

27. Que disait-il parce qu'il voulait le bonheur de ses sujets ?

28. Pourquoi n'eut-il pas le temps de voir l'accomplissement de ce désir ?

29. Quel effet sa mort produisit-elle en France ?

Notes explicatives

parent: ce mot a un sens plus étendu en français qu'en anglais. Il correspond au mot anglais *relative*. Au pluriel, ce mot veut dire « le père et la mère ».

panache blanc: Henri portait des plumes blanches à son chapeau.

achever le tour de la chambre; jouer des tours; monter dans une tour: le mot **tour** a dans chacune de ces trois phrases un sens différent. Dans la première, **tour** veut dire « promenade »; dans la seconde, **tour** veut dire « action faite pour s'amuser »; dans la troisième, **tour**, qui est du genre féminin, veut dire « bâtiment assez élevé, de forme ronde ou carrée ». Le mot **tour** a encore bien d'autres significations.

Exercice de prononciation

Prononcez les sons [o] [ɔ] :

[o]		[ɔ]	
pauvre	mot	méridional	développa
royaume	au	rocher	commerce
autre	repos	proche	protégea
château	chaud	mort	bonheur
auparavant	radio	soldat	voler
pot	côte	honneur	force

Prononcez les phrases suivantes en faisant attention aux liaisons:

1. Ses parents‿étaient pauvres.
2. Comme les autres‿enfants du pays.
3. Il jouait‿avec ses‿enfants dans‿un salon.

Expressions idiomatiques

Il y a bien longtemps.	*A long time ago.*
Il y avait un roi.	*There was a king.*
Je puis achever le tour de la chambre.	*I can finish going round the room.*

Exercices pratiques

I

Conjuguez:

1. Je suis né en Amérique.
2. Quand j'étais enfant je grimpais sur les rochers.
3. Je suivrai son panache blanc.
4. Je l'appellerais un *real boy.*
5. Je n'ai pas perdu mon temps.

II

Mettez les verbes entre parenthèses au conditionnel:

1. S'il était libre, il (**courir**) dans la montagne.

2. Je (**gouverner**) le pays avec sagesse si j'étais roi.

3. Si vous étiez enfermé dans un château, vous (**jouer**) des tours à votre précepteur.

4. Si le pays était en danger, le peuple (**être**) malheureux.

5. Nous (**être**) heureux si vous acceptiez notre invitation.

III

Comparez les phrases suivantes et expliquez l'emploi des temps:

1. Je suis libre ce matin.
Je serai libre à dix heures.
Je n'étais pas libre quand vous êtes venu hier.
Quand j'étais enfant, je n'étais pas libre.

2. Henri de Navarre réclama la couronne de France.
J'ai réclamé mes droits.
A cette époque les peuples ne réclamaient pas leurs droits.
Je réclamerai la récompense promise.
Je réclamerais la récompense si j'y avais droit.

IV

Racontez oralement ce que vous savez du bon roi Henri.

Saint Vincent de Paul

DE TOUS temps, il y a eu dans le monde des pauvres et des malheureux. Aujourd'hui il y en a moins qu'autrefois, car la charité bien organisée diminue les souffrances des pauvres et des malades.

Comme inspiration dans cette œuvre de bienfaisance on se tourne souvent vers saint Vincent de Paul.

Saint Vincent de Paul naquit en 1576. Ses parents étaient de pauvres cultivateurs. Enfant, il menait paître les troupeaux. Cependant, comme le petit Vincent montrait des dispositions très heureuses, on lui fit commencer ses études à douze ans; à vingt-quatre ans il fut reçu prêtre.

Un jour comme il se rendait de Marseille à Narbonne, le bateau sur lequel il faisait le voyage fut attaqué par des pirates. A cette époque la Méditerranée était infestée de pirates qui venaient jusque près des côtes guetter les navires. Ils s'emparèrent des marchandises et emmenèrent les voyageurs et les marins dans leur pays et les vendirent comme esclaves.

Vincent de Paul fut emmené à Tunis par les pirates et, sur le marché de la ville, il fut vendu. Il changea plusieurs fois de maître. Enfin un jour il fut acheté par un homme qui autrefois avait été chrétien, mais qui avait renié sa religion et était devenu mahométan. Vincent convertit son maître et tous deux s'enfuirent en France.

Vincent de Paul était doué de qualités extraordinaires, et le pape et le roi de France, Henri IV, lui confièrent des missions à remplir. Cependant, ce qui fait que son nom est béni encore aujourd'hui, c'est sa grande charité. Pour soigner les pauvres et les malades, il fonda la congrégation des sœurs de charité connue sous le nom de Sœurs de Saint Vincent de Paul. Ces sœurs allaient dans les familles, dans les hôpitaux, dans les ambulances, jusque sur les champs de bataille, bravant les dangers pour secourir ceux qui souffraient.

Mais ce qui a rendu son nom encore plus populaire, c'est son travail en faveur des enfants trouvés. Très souvent des enfants étaient abandonnés aux portes des églises ou sur les places publiques. Quelques-uns étaient recueillis, mais le plus grand nombre mouraient faute de soins. Saint Vincent de Paul se dévoua à cette cause. La nuit il parcourait les rues de Paris, écoutant, cherchant. Dès qu'il entendait les vagissements des petits enfants abandonnés, il s'approchait et emportait ces pauvres petits dans son manteau.

Il fallait loger et nourrir tous ces petits abandonnés. Il s'adressa à des dames de la cour qui l'aidèrent, mais bientôt, les dépenses étant très lourdes, ces bienfaitrices se découragèrent. Alors saint Vincent de Paul les réunit dans l'église Saint-Lazare, fit placer entre les bras des sœurs plusieurs de ces pauvres enfants sans famille, quelques-uns près de mourir de misère, puis il monta en chaire et prononça ces paroles :

« Mesdames, la compassion et la charité vous ont fait adopter ces petites créatures pour vos enfants. Vous avez été leurs mères selon la grâce depuis que leurs mères selon la nature les ont abandonnés. Voyez maintenant si vous voulez aussi les abandonner : leur vie et leur mort sont entre vos mains. Les voilà devant vous ! Ils vivront si vous continuez d'en prendre un soin charitable, et je vous le déclare devant Dieu, ils seront tous bientôt morts de faim et de froid si vous les délaissez. »

On répondit à cette prière par des larmes et ce même jour dans cette même église on fonda l'hôpital des Enfants-Trouvés.

C'est donc avec raison qu'on appelle saint Vincent de Paul « le Père des enfants trouvés ».

Questionnaire

1. Pourquoi y a-t-il moins de malheureux aujourd'hui qu'autrefois ?

2. Vers qui se tourne-t-on pour chercher l'inspiration dans les œuvres de bienfaisance ?

3. Quand naquit Vincent de Paul ?

4. Qui étaient ses parents ?

5. Enfant, que faisait-il ?

6. Pourquoi le fit-on étudier ?

7. A quel âge commença-t-il ses études ?

8. A quel âge fut-il reçu prêtre ?

9. Que lui arriva-t-il un jour qu'il se rendait de Marseille à Narbonne ?

Une Sœur de Saint Vincent de Paul

10. Quel danger présentait la Méditerranée alors?

11. Où emmena-t-on Vincent de Paul?

12. Par qui fut-il acheté?

13. Que fit Vincent au service de ce dernier maître?

14. Qu'est-ce que le pape et le roi confièrent à Vincent de Paul?

15. Qu'est-ce qui fait bénir le nom de saint Vincent de Paul encore aujourd'hui?

16. Que fonda-t-il pour soigner les pauvres et les malades?

17. Sous quel nom cette congrégation est-elle connue?

18. Que faisaient ces sœurs de charité?

19. Qu'est-ce qui a rendu le nom de saint Vincent de Paul si populaire?

20. Où exposait-on souvent des enfants?

21. Qu'arrivait-il au plus grand nombre de ces enfants abandonnés?

22. Que faisait saint Vincent de Paul la nuit à Paris?

23. Que faisait-il dès qu'il entendait les vagissements des petits enfants abandonnés?

24. Qu'est-ce qu'il fallait à ces enfants recueillis?

25. A qui s'adressa saint Vincent?

26. Qu'est-ce qui découragea ces bienfaitrices?

27. Que fit alors saint Vincent?

28. Ouvrez vos livres et relisez à haute voix le discours que saint Vincent adressa aux dames bienfaitrices.

29. Comment répondit-on à cette prière?

30. Quel surnom donne-t-on à saint Vincent de Paul?

Notes explicatives

changer de maître: le verbe **changer** suivi d'un nom demande la préposition **de** sans article quand il s'agit d'une substitution: **changer de robe, changer de chapeau, changer d'idée.** Lorsque l'idée de changement plutôt que de substitution est indiquée, on n'emploie pas la préposition: **Nous avons changé l'ordre des pages, Il a changé la couleur de ce dessin, J'ai changé les heures des repos.**

doué de qualités: la préposition anglaise *with* se traduit par **de** après un adjectif: **Je suis content de vous.**

faute de soins: le mot **faute** peut vouloir dire *fault, error, mistake,* ou *lack.* Ici le mot **faute** veut dire *lack*: *for lack of care.*

parcourir: ce mot est formé du verbe **courir** et d'un préfixe. Il y a beaucoup de verbes qui sont formés de cette manière: **accourir, concourir, discourir, encourir, recourir, secourir.**

entre vos mains: *in your hands.*

Exercice de prononciation

Prononcez les sons [j] *et* [l]:

[j]	[l]
famille	ville
fille	tranquille
bataille	village
juillet	milieu
brillant	mille

Prononcez avec expression:

Très souvent des enfants étaient abandonnés aux portes des églises.

Mesdames, la compassion et la charité vous ont fait adopter ces petites créatures pour vos enfants.

Ils vivront si vous continuez d'en prendre un soin charitable.

Expressions idiomatiques

Il fut reçu prêtre.	*He was ordained.*
Jusque près des côtes.	*Even within sight of land.*
Ils s'emparèrent des vaisseaux.	*They took possession of the ships.*
Faute de soins.	*For lack of care.*

Exercices pratiques

I

Conjuguez au présent, à l'imparfait, au passé indéfini et au futur:

1. Y avoir des pauvres dans le monde.
2. Faire un voyage.
3. Changer de maître.
4. Falloir loger ces pauvres petits enfants.

II

Remplacez les traits par un adjectif ou par un pronom démonstratif:

1. Nous travaillons à ---- œuvre de bienfaisance.
2. ---- côtes de la Méditerranée étaient dangereuses.
3. Comparez ---- enfants avec ---- que vous avez vus hier.
4. ---- est un grand homme.
5. Savez-vous ---- qui fait sa réputation?

6. Dites-moi ____ que vous savez.
7. Mes amies et ____ de ma sœur sont ici.
8. J'admire ses qualités et ____ de son frère.
9. Elles secouraient ____ qui souffraient.
10. Les pirates s'emparèrent de ____ qui étaient sur les navires.

III

Écrivez les phrases suivantes au passé indéfini (passé composé) :

1. Il y a beaucoup de malheureux dans le monde.
2. Le roi lui confia une mission.
3. Les sœurs vont dans les familles.
4. Nous ne nourrissons pas tous ces enfants.
5. Vous adressez-vous à ces dames?

IV

Écrivez une courte composition sur saint Vincent de Paul.

Richelieu

A LA MORT de Henri IV son fils, Louis XIII, n'avait que dix ans. Il était trop jeune pour gouverner le royaume ; sa mère gouverna en son nom. Mais elle avait l'esprit faible et le cœur égoïste, et des favoris, ses ministres, s'emparèrent de la richesse de la couronne ; le pays fut alors très malheureux.

Un Rival des Mousquetaires

Heureusement, un grand homme parut qui fit tout rentrer dans l'ordre. Cet homme c'est Richelieu.

Richelieu était un cardinal de l'Église, mais il ne ressemblait pas aux cardinaux ordinaires. Il avait moustache et barbiche ; il portait un chapeau à plumes comme un mousquetaire, et sur son cheval, quand il s'en allait à la guerre, il avait l'air d'un général.

Richelieu

A cette époque le pouvoir des seigneurs menaçait l'autorité du roi. Richelieu ordonna la démolition de leurs châteaux forts. Il fit décapiter les seigneurs qui étaient rebelles à l'autorité du roi. Il empêcha les guerres civiles entre protestants et catholiques. Il proscrivit le duel sous peine de mort. Enfin, il fit respecter la France au dehors et étendit les frontières du pays jusqu'au Rhin.

Richelieu encouragea les lettres et les arts. Il fonda l'Académie française pour veiller à la conservation de la langue française dans sa pureté et dans sa clarté, et pour encourager les écrivains et les savants.

Quand il mourut, la France était plus grande, plus puissante, plus glorieuse qu'elle ne l'était quand il était devenu le ministre de Louis XIII. On a souvent appelé Richelieu « le roi-cardinal ».

Questionnaire

1. Nommez le fils de Henri IV.
2. Quel âge avait-il à la mort de son père ?
3. Pourquoi ne gouverna-t-il pas le royaume lui-même ?
4. Qui gouverna en son nom ?
5. Décrivez en quelques mots le caractère de la mère de Louis XIII.
6. Qui s'empara de la richesse de la couronne ?
7. Dans quel état était le pays ?
8. Qui parut alors ?

9. Richelieu était-il un général?

10. Ressemblait-il aux évêques ou aux cardinaux de l'Église?

11. Faites une description de sa personne.

12. Qu'est-ce que c'est qu'un mousquetaire?

13. A l'époque de Richelieu, qu'est-ce qui menaçait l'autorité du roi?

14. Qu'est-ce que Richelieu ordonna?

15. Qui fit-il décapiter?

16. Qu'est-ce qu'il empêcha?

17. Que proscrivit-il?

18. Jusqu'où étendit-il les frontières de la France?

19. Qu'est-ce que Richelieu encouragea?

20. Pourquoi fonda-t-il l'Académie française?

21. Comment était la France à sa mort?

22. Comment a-t-on souvent appelé Richelieu?

Notes explicatives

n'avait que dix ans: *was only ten years old.* Le mot **que** précédé de **ne** et d'un verbe signifie *only.*

elle avait l'esprit faible et le cœur égoïste: l'article défini s'emploie ici au lieu de l'article indéfini ou de l'adjectif possessif: *she had a weak mind and a selfish heart* ou *her mind was weak and her heart selfish.*

Cet homme c'est Richelieu: on emploie le présent du verbe **être** au lieu du passé parce que nous parlons d'un état qui ne peut pas changer.

avait moustache et barbiche: l'omission de l'article « une » devant les noms **moustache** et **barbiche** donne plus de vivacité au portrait.

mousquetaires: les mousquetaires formaient une compagnie de soldats renommés pour leur courage, leur audace et leur habileté. Les mousquetaires ont été immortalisés par le roman d'Alexandre Dumas, *Les Trois Mousquetaires.*

l'Académie française: l'Académie française est composée de quarante membres élus à vie et choisis parmi les hommes les plus distingués du temps.

Exercice de prononciation

Prononcez les sons [g] *et* [ʒ]:

[g]	[ʒ]
gouverner	général
guerre	encouragea
Gaule	sagesse
Église	protéger
langue	plongea
glorieuse	généreux
égoïste	sage
grande	genou

Prononcez les phrases suivantes avec expression:

Elle avait l'esprit faible et le cœur égoïste.

Monté sur son cheval, quand‿il s'en allait‿à la guerre il avait l'air d'un général.

Cet‿homme c'est Richelieu.

Richelieu encouragea les lettres‿et les‿arts.

Il fit respecter la France.

Expressions idiomatiques

Il n'avait que dix ans.	*He was only ten years old.*
Elle avait l'esprit faible.	*Her mind was weak.*
Il portait un chapeau à plumes.	*He wore a plumed hat.*
Il avait l'air d'un général.	*He looked like a general.*

Exercices pratiques

I

Récitez au pluriel:

1. Elle gouverna en son nom.
2. Le seigneur menaçait le roi.
3. Le ministre étendit les frontières du pays.

II

Écrivez au singulier:

1. Ces enfants ressemblent à leur père.
2. Ils montaient à cheval et allaient à la guerre.
3. Les seigneurs ont été décapités.

III

Remplacez les traits par l'adjectif démonstratif:

1. Vous ne connaissez pas ---- homme?
2. ---- femme, ---- enfant et ---- pauvre homme sont venus ensemble.
3. Nous voyons souvent ---- jeune fille et ---- jeune homme avec ---- artistes.

IV

Écrivez une composition sur Richelieu, le roi-cardinal.

Le Roi-Soleil

LOUIS XIV devint roi à l'âge de cinq ans. Un grand ministre, le cardinal Mazarin, diplomate habile et ami de Richelieu, administra le royaume en son nom. A la mort de Mazarin, Louis XIV avait vingt-trois ans. Quand on lui demanda à qui il fallait s'adresser pour les affaires, il répondit: « A moi. » Et il fut réellement le roi et le maître. On lui attribue ce mot devenu célèbre: « L'État c'est moi! »

Sous son long règne, il y eut de grands hommes de toutes sortes: de grands généraux, de grands administrateurs, de grands artistes, de grands écrivains, de grands orateurs. Turenne lui gagnait des batailles; Vauban fortifiait ses villes; Colbert administrait ses finances; Duquesne, Tourville, Jean Bart, commandaient ses vaisseaux; Perrault et Mansard construisaient ses palais; Le Nôtre dessinait ses jardins; Corneille, Racine, Molière, Boileau, La Fontaine et bien d'autres encore enrichissaient la littérature; Descartes, Pascal, la philosophie.

Louis XIV fut très puissant, très glorieux, très fort; il se faisait presque adorer. On l'appelait « le Grand », « le Roi-Soleil », mais on le détestait.

Son ambition avait rendu son peuple si malheureux que sa mort fut un soulagement pour ses sujets.

Le Château de Versailles

Questionnaire

1. Quel âge avait Louis XIV lorsqu'il devint roi de France?
2. Qui administra la France en son nom?
3. Quel âge avait le roi à la mort de Mazarin?
4. Que répondit-il à ceux qui lui demandaient à qui il fallait s'adresser pour les affaires du royaume?
5. Fut-il véritablement le roi?
6. Quelles paroles de ce roi cite-t-on souvent en parlant d'autocrates?
7. Y eut-il de grands hommes sous son règne?
8. Qui lui gagnait des batailles?
9. Qui fortifiait ses villes?
10. Qui administrait ses finances?
11. Qui commandait ses vaisseaux?
12. Qui construisait ses châteaux?
13. Qui dessinait ses jardins?
14. Qui enrichissait la littérature?
15. Quels étaient les grands philosophes?
16. Comment l'appelait-on?
17. Est-ce qu'on pleura sa mort?

Notes explicatives

Turenne lui gagnait des batailles: lui ici veut dire *for him.*

Mansard: le nom de cet architecte est entré même dans la langue anglaise, dans l'expression *mansard roof.*

Louis XIV

Exercice de prononciation

Prononcez en divisant les syllabes:

mi-nis-tre	ad-mi-nis-tra-teur	en-ri-chis-saient
car-di-nal	é-cri-vain	lit-té-ra-tu-re
ad-mi-nis-tra	o-ra-teur	puis-sant
de-man-da	for-ti-fiait	ap-pe-lait
ré-el-le-ment	fi-nan-ces	am-bi-tion
a-dres-ser	con-strui-saient	phi-lo-so-phie

Lisez en faisant les liaisons:

Quand on lui parla de ses affaires.

Il y eut de grands hommes: de grands artistes, de grands écrivains, de grands orateurs, de grands administrateurs.

Son ambition était immense.

Il se faisait adorer.

Exercices pratiques

I

Donnez toutes les personnes de:

1. A moi.
2. Pour moi.
3. Avec moi.
4. Contre moi.

II

Écrivez à la première personne du singulier:

1. Nous lui demandons conseil.
2. Ils ne bâtissaient pas de palais.
3. Nos palais sont des châteaux en Espagne.
4. Leur ambition est grande.

5. Dessinerons-nous ces jardins?
6. L'État c'est lui.
7. Nous avons nos ennemis.
8. Vous n'allez pas à la guerre.
9. Est-ce eux?
10. Ce sera elle.

III

Donnez le contraire de:

1. La vie.
2. Faible.
3. Heureux.
4. Perdre.
5. Un ennemi.
6. On l'aimait.

IV

Écrivez une courte composition sur Louis XIV.

Le Marquis de La Fayette

L'AMÉRIQUE avait déclaré son indépendance, mais les partisans de cette cause, Washington à leur tête, avaient essuyé bien des défaites. Ils manquaient des ressources nécessaires pour lutter victorieusement contre l'Angleterre, et l'horizon semblait sombre.

Malgré ces signes peu favorables, un jeune homme de dix-neuf ans, riche, de famille noble, bien en cour, résolut de mettre son épée au service de la cause de l'indépendance américaine.

Il acheta un vaisseau, et avec onze compagnons, comme lui amoureux de liberté, il fit voile pour le nouveau monde. Après un voyage de deux mois, le jeune La Fayette arriva enfin à Charleston, dans la Caroline du Sud.

Il se présenta tout de suite devant le Congrès. Tout d'abord, le Congrès, croyant que ce jeune homme n'était pas sérieux dans son désir de servir et qu'il n'était qu'en quête d'aventures, lui répondit qu'on ne saurait accepter ses services.

Mais La Fayette ne se tient pas pour battu ; il insiste et dit : « Laissez-moi servir à mes dépens, ou acceptez-moi comme volontaire. » Le Congrès alors se laisse convaincre et accepte l'offre du jeune Français qui est attaché à Washington en qualité d'aide-de-camp.

La Fayette à Mount Vernon

Pendant quatre ans, La Fayette se battit pour l'Amérique. Il fit plus que se battre, il employa son crédit à la cour de France, et le roi, ayant reconnu l'indépendance des États-Unis, envoya à l'aide de la nation naissante une flotte, des troupes de terre et de l'argent.

En 1781, la guerre de l'indépendance américaine étant terminée, La Fayette retourna en France. Il y fut reçu en héros et devint si populaire que quand le peuple de Paris prit la Bastille, le 14 juillet 1789, on lui offrit la clé de cette prison d'État. La Fayette envoya cette clé à Washington, pour qui il avait la plus vive admiration.

A cette occasion La Fayette écrivit : « Permettez-moi de vous présenter la clé de la forteresse du despotisme. C'est un tribut que je vous dois comme un fils à son père, comme un aide-de-camp à son général, comme un missionnaire de la liberté à son patriarche. » Cette clé repose aujourd'hui à Mount Vernon, dans la maison qui fut celle de Washington.

A Paris, le peuple était en pleine révolution. Le lendemain de la prise de la Bastille, on forma un nouveau corps de troupes : la Garde nationale ; La Fayette en fut le commandant. C'est en cette qualité qu'il protégea le roi et la reine contre la fureur de la populace, et qu'il sauva de la guillotine un grand nombre de personnes.

Ses sympathies étaient pour le peuple contre les injustices dont celui-ci était la victime depuis si longtemps, mais sa loyauté était pour le roi et la monarchie.

Cette loyauté à son roi lui fit perdre sa popularité.

Incapable d'aider son roi, et ne voulant pas souscrire aux excès du régime républicain, La Fayette allait se réfugier en Hollande pour y attendre un moment plus favorable, lorsqu'il fut fait prisonnier par les Autrichiens. Ceux-ci l'enfermèrent dans un cachot infect, sans air et sans lumière. Il y resta cinq ans. Il y serait peut-être mort de misère si ses amis d'Amérique ne lui avaient envoyé de l'argent qui lui permit de se nourrir un peu moins mal.

Toute sa fortune avait été confisquée. Sa mère et d'autres membres de sa famille avaient été guillotinés. Cependant, sa femme et sa fille avaient réussi à s'échapper et à se rendre à Vienne. Arrivée à Vienne, la pauvre femme supplia l'empereur d'accorder la liberté à son mari, mais l'empereur refusa. A sa requête qu'on lui permît au moins de le voir, l'empereur répondit que si elle entrait dans la prison de son mari, elle n'en sortirait plus.

Malgré cette menace, Madame de La Fayette et sa fille se rendirent dans la prison du marquis. Elles y restèrent vingt-deux mois, mois de souffrances et d'horreur.

Enfin, Napoléon Bonaparte, ayant vaincu les Autrichiens, exigea la mise en liberté de La Fayette.

Il vécut encore de longues années. Il revint en Amérique en 1824, et mourut dix ans plus tard à l'âge de soixante-dix-neuf ans. Sa mémoire vit toujours dans le cœur des Américains, qui lui sont reconnaissants de ce qu'il a fait pour aider la jeune nation.

Questionnaire

1. En quel état se trouvait l'Amérique au moment où commence ce récit?

2. De quoi manquaient les partisans de la cause de l'indépendance?

3. Malgré ces signes peu favorables, que résolut le marquis de La Fayette?

4. Quel âge avait-il?

5. Qu'est-ce qu'il acheta?

6. Avec qui fit-il voile vers le nouveau monde?

7. Combien de temps dura son voyage et où enfin arriva-t-il?

8. Où se présenta-t-il tout de suite?

9. Pourquoi le Congrès refusa-t-il les services du jeune Français?

10. Que dit alors le marquis de La Fayette?

11. En quelle qualité est-il attaché à Washington?

12. Pendant combien de temps La Fayette se battit-il pour l'Amérique?

13. Que fit-il de plus?

14. En quelle année la guerre de l'indépendance américaine s'est-elle terminée?

15. Comment La Fayette fut-il reçu en France?

16. Qu'arriva-t-il en France le 14 juillet 1789?

17. Quelle clé offrit-on à La Fayette?

18. A qui envoya-t-il cette clé?

19. Où se trouve cette clé maintenant?

20. Citez ce que La Fayette écrivit à Washington à cette occasion.

21. Que fit-on à Paris le lendemain de la prise de la Bastille ?

22. Que fit La Fayette comme commandant de la Garde nationale ?

23. Décrivez les sentiments de La Fayette au sujet de la révolution.

24. Quelle perte cette loyauté causa-t-elle au marquis ?

25. Pourquoi La Fayette allait-il se réfugier en Hollande ?

26. Par qui fut-il fait prisonnier ?

27. Où fut-il enfermé ?

28. Combien d'années resta-t-il dans cette prison ?

29. Qui vint à son aide dans ce malheur ?

30. Que fit madame de La Fayette pour venir en aide à son mari ?

31. Que lui répondit l'empereur d'Autriche ?

32. Malgré cette menace, que firent madame de La Fayette et sa fille ?

33. Combien de temps sont-elles restées dans la prison du marquis ?

34. Enfin, qui exigea la mise en liberté de La Fayette ?

35. La Fayette revint-il en Amérique ?

36. A quel âge mourut-il ?

37. Quel sentiment l'Amérique éprouve-t-elle pour le marquis de La Fayette ?

Notes explicatives

dans la Caroline du Sud: **du Sud** au lieu de l'adjectif *South.* La même construction s'emploie pour *North America, South America,* qui deviennent **l'Amérique du Nord, l'Amérique du Sud.** Quand le nom du pays est modifié, on emploie **dans** et l'article, au lieu de la préposition **en**: ***en* Amérique**, mais ***dans l'*Amérique du Nord.**

ne se tient pas pour battu: *does not consider himself beaten.*

se battit, battre: qu'est-ce que vous avez appris à propos de ces deux verbes dans la lecture sur Vercingétorix?

le peuple prit la Bastille: la Bastille était une prison d'État qui représentait aux yeux du peuple l'oppression des rois. Le peuple s'empara de la Bastille le 14 juillet 1789 et la détruisit. C'est pour cette raison que la fête nationale française se célèbre le 14 juillet.

la guillotine: autrefois la peine de mort était la pendaison pour les roturiers et la décapitation pour les nobles, mais il y avait aussi beaucoup d'autres tortures. Pendant la Révolution, le docteur Guillotin recommanda de substituer aux autres supplices cet instrument de décapitation. Son motif était un sentiment d'humanité, afin d'empêcher les longues souffrances des condamnés à mort. L'instrument prit son nom.

se réfugier en Hollande: la Hollande a été bien souvent le lieu de refuge des persécutés, soit politiques ou religieux.

fait prisonnier par les Autrichiens: les monarchies d'Europe s'étaient alliées contre la France républicaine.

Exercice de prononciation

Lisez en faisant les liaisons:

Il vécut encore de longues années.
Il revint en Amérique.
Il mourut dix ans plus tard.
Ses amis lui avaient envoyé de l'argent.

Exercices pratiques

I

Écrivez au passé indéfini:

1. Il acheta un vaisseau.
2. Vous vous battez pour l'Amérique.
3. Elle retourna en France.
4. Nous allâmes en Hollande.
5. Il y fut reçu comme un héros.

II

Remplacez les traits par la préposition convenable:

1. Il est allé ---- France.
2. Est-il allé ---- États-Unis?
3. Les États-Unis sont ---- l'Amérique du Nord.
4. La France est ---- Europe.
5. Nous irons ---- Paris et ---- Vienne.

III

Formez des adverbes avec les adjectifs suivants:

1. Victorieux.
2. Injuste.
3. Favorable.
4. Sérieux.
5. Volontaire.
6. Général.
7. Nécessaire.
8. Vif.

IV

Écrivez une courte composition sur le marquis de La Fayette.

La Reine Marie-Antoinette

LOUIS XV, qui avait succédé à son arrière-grand-père Louis XIV, avait été un méchant roi. Ses excès de toutes sortes avaient irrité la nation qui, pour sauver la France en danger, se mit à chercher le moyen de mettre un frein aux abus de la royauté. A sa mort, son petit-fils, Louis XVI, devint roi de France. Il avait vingt ans, et la reine, Marie-Antoinette, en avait dix-huit.

C'était une bien rude tâche qui tombait sur les épaules de ce jeune roi. Louis XVI avait de bonnes intentions, il voulait être un bon roi. Malheureusement son intelligence était médiocre et son caractère timide et indécis.

Sa femme, la reine Marie-Antoinette, était brillante, vive, spirituelle, gracieuse et belle. Elle charmait les yeux et gagnait les cœurs. Toute la France admirait cette jeune reine et espérait le bonheur de ce jeune roi.

Mais ces promesses de bonheur ne se réalisèrent pas. Ce grand amour du peuple ne tarda pas à se changer en haine. Et pourquoi?

La jeune reine ne rêve que bals, fêtes et spectacles. Elle dépense des sommes considérables, fait des dettes, joue, et par la légèreté de ses manières donne prise aux médisances. Elle refuse de se soumettre

Marie Antoinette, reine heureuse

aux lois rigides de l'étiquette royale, elle joue à la fermière au château de Trianon, elle est laitière ou meunière ; mais jouer à la fermière coûte de fortes sommes, et les finances du pays sont en très mauvais état.

Le Moulin à Trianon

Tout de suite Marie-Antoinette prend un grand ascendant sur le roi, mais elle-même se laisse guider et conseiller par l'ambassadeur d'Autriche, l'ambassadeur de son pays natal. Alors le peuple se met à l'appeler « l'Autrichienne ». Ce nom lui reste jusqu'à sa mort.

Mais voilà que Marie-Antoinette devient mère. Alors tout change. Plus de bals, plus de toilettes

Le Grand Trianon

extravagantes, plus de caprices, plus de jeux. Trop tard ! Tous les efforts que fait la reine pour regagner l'amour et la confiance du peuple sont vains.

Enfin un moment tragique arrive. Le peuple de Paris a faim. Il marche sur Versailles, il demande du

La Conciergerie

pain. Le 5 octobre 1789 est la dernière journée de la royauté française à Versailles.

Toute la nuit les gens frappent aux portes des maisons et demandent à manger. Des femmes, sous les fenêtres de la reine, demandent du pain à « l'Autrichienne ». C'est à Marie-Antoinette qu'on en veut ; c'est elle qu'on rend responsable de tous les malheurs.

Cette nuit-là M. de La Fayette avec ses vingt mille hommes de la Garde nationale veille sur Versailles, sur le roi, sur la reine et sur leurs enfants.

Le lendemain la famille royale part pour Paris, escortée par le peuple qui l'avait menacée la veille. Elle se rend au palais des Tuileries, où le roi est virtuellement prisonnier.

C'est la révolution! La révolution avec ses cruautés inévitables, mais aussi avec son idéal sublime. Marie-Antoinette n'en a vu que les cruautés. Pauvre jeune reine! Elle est enlevée des Tuileries et enfermée avec la famille royale dans la tour du Temple. Puis elle est séparée de sa famille, jugée, condamnée, et enfermée à la Conciergerie. Enfin, le 16 octobre 1793, elle subit le supplice final.

Dans Paris où s'entassent les curieux, lentement une charrette avance. Sur cette charrette, assise sur une planche, les mains liées d'une corde que tient le bourreau, la malheureuse mais courageuse reine Marie-Antoinette, veuve d'un roi qui a subi le même sort, séparée de ses enfants qu'on lui a enlevés, la reine Marie-Antoinette s'en va au dernier supplice, au milieu des injures d'un peuple qui, quelques années auparavant, l'avait acclamée avec amour. Puis la guillotine fait son œuvre de mort.

Questionnaire

1. Que savez-vous de Louis XV?
2. Qui succéda à Louis XV?

Marie Antoinette devant le tribunal révolutionnaire

3. Louis XVI était-il le fils ou le petit-fils de Louis XV?

4. Quel âge avait Louis XVI lorsqu'il devint roi?

5. Quel âge avait la reine Marie-Antoinette?

6. Que voulait être Louis XVI?

7. Que savez-vous de son intelligence et de son caractère?

8. Quelles bonnes qualités possédait la reine Marie-Antoinette?

9. Que charmait-elle?

10. Que gagnait-elle?

11. Que faisait toute la France?

12. Ces promesses de bonheur se réalisèrent-elles?

13. En quoi se changea l'amour du peuple?

14. A quoi rêvait la jeune reine?

15. Que dépensait-elle?

16. A quoi sa conduite donnait-elle prise?

17. A quoi refusait-elle de se soumettre?

18. A quoi jouait-elle à Trianon?

19. En quel état les finances du pays étaient-elles?

20. Le roi se laissait-il influencer par la reine?

21. Par qui la reine se laissait-elle guider et conseiller?

22. De quel pays Marie-Antoinette venait-elle?

23. Comment le peuple appela-t-il Marie-Antoinette?

24. Jusqu'à quand ce nom devait-il lui rester?

25. Quel événement changea la vie de Marie-Antoinette?

26. Qu'est-ce que Marie-Antoinette abandonne ?
27. Tous ses efforts ont-ils un bon résultat ?
28. Enfin quel moment arrive ?
29. Que fait le peuple de Paris le 5 octobre 1789 ?
30. Que font les gens toute la nuit ?
31. Que font les femmes sous les fenêtres de la reine ?
32. Qui rend-on responsable de tous les malheurs ?
33. Qui veille sur Versailles cette nuit-là ?
34. Le lendemain comment la famille royale part-elle pour Paris ?
35. Qu'est-ce que Marie-Antoinette a vu de la révolution ?
36. Où est-elle d'abord enfermée ?
37. Ensuite que fait-on d'elle ?
38. Qu'est-ce qui avance lentement dans Paris le 16 octobre 1793 ?
39. Où va Marie-Antoinette ?
40. Que fait la guillotine ?

Notes explicatives

se mit à chercher: mettre veut dire *to put, to set*; **se mettre à** veut dire *to set about, to begin* (*doing*).

il voulait être: *he wished to be.* Remarquez qu'après le verbe **vouloir** on ne met pas de préposition.

joue à la fermière: jouer à veut dire « s'amuser à » ou « prendre part à » un jeu; **jouer de** veut dire « se servir de », appliqué aux instruments de musique: **jouer à la balle, jouer du violon,** *to play ball, to play the violin.*

son pays natal: Marie-Antoinette est née à Vienne.

plus de bals etc. : ici les mots **plus de** veulent dire *no more.* Ceci est un phénomène linguistique assez étrange que les mots **plus de** peuvent avoir deux significations opposées. Par exemple, **Plus de soupe?** veut dire *Some more soup?* **Non, plus de soupe** veut dire *No, no more soup.*

on en veut: en vouloir à quelqu'un veut dire « avoir de la rancune, de la haine, du ressentiment contre quelqu'un ».

Exercice de prononciation

Prononcez en séparant les syllabes:

petit-fils	légèreté	refuse
intelligence	manières	révolution
médiocre	finances	famille
étiquette	toilette	séparée

Lisez avec expression:

C'est la révolution! La révolution avec ses cruautés inévitables, mais aussi avec son idéal sublime.

Marie-Antoinette s'en va au dernier supplice au milieu des injures d'un peuple.

Expressions idiomatiques

Il avait vingt ans.	*He was twenty years old.*
Ce grand amour ne tarda pas à se changer en haine.	*This great love was not long in turning to hatred.*
Sa conduite donnait prise aux médisances.	*Her conduct exposed her (gave hold) to slander.*
Le peuple a faim.	*The people are hungry.*
On en veut à la reine.	*They are hostile to the queen.*

Exercices pratiques

I

Conjuguez à toutes les personnes:

1. J'admirais cette jeune reine.
2. Je lui en veux.
3. J'en ai pris l'habitude.

II

Écrivez au masculin:

1. C'est elle qu'on rend responsable.
2. Ce sont elles que nous admirons.
3. C'était elle qui régnait.
4. C'étaient elles qui demandaient du pain.

III

Écrivez au singulier:

1. C'est à nous qu'ils parlent.
2. C'est pour vous que nous travaillons.
3. C'est avec eux qu'ils jouaient.
4. Nous prions pour eux et pour elles.

IV

Écrivez une composition sur un des sujets suivants:

1. La jeunesse de la reine Marie-Antoinette.
2. La mort de Marie-Antoinette sur l'échafaud.

Napoléon

NAPOLÉON est né en Corse, île de la Méditerranée. Il était un tout jeune officier d'artillerie quand la France, opprimée par ses rois, renversa la monarchie. Il sut se faire adorer des soldats qui affrontaient des dangers inouïs, sûrs que sous Napoléon Bonaparte ils allaient à la victoire. Il devint rapidement général en chef de toutes les armées de France.

Il avait forcé ses ennemis à demander la paix. Seule l'Angleterre gardait les armes contre la France. Alors Bonaparte proposa une expédition en Égypte pour s'emparer des Indes. Cependant, on n'alla pas plus loin que les Pyramides.

C'est là, au pied de ces monuments, que Bonaparte adressa à ses troupes ces paroles célèbres : « Soldats, du haut de ces pyramides quarante siècles vous contemplent et vont applaudir à votre victoire. »

Il revint en France et prit le titre de premier consul. Il traversa les Alpes à l'improviste par des sentiers bordés de précipices, ce qui fit l'admiration et le désespoir de ses ennemis. Une bataille s'engagea. Cependant elle semblait perdue quand un jeune général, Desaix, arriva avec des troupes fraîches et s'écria : « Il n'est que quatre heures de l'après-midi, nous avons encore le temps de gagner une bataille. » Et en effet, ce fut la victoire de Marengo.

Napoléon

Comme Bonaparte était victorieux partout, l'Europe se résigna et la paix fut signée. Pendant deux ans le premier consul s'occupa de l'organisation de la France. Alors il prit le titre d'empereur. Il se fit sacrer empereur par le pape qu'il fit venir à Paris pour cela. Il fut sacré solennellement dans la cathédrale de Notre-Dame, et il posa lui-même la couronne sur sa tête et sur celle de sa femme, Joséphine.

Pendant dix ans l'empereur Napoléon réussit dans toutes ses entreprises; mais bientôt ses triomphes l'aveuglèrent et il entreprit des campagnes hasardeuses. Il alla en Russie, où tous, généraux et soldats, montrèrent un héroïsme admirable. Malgré cela bien peu revinrent en France. La faim et le froid, plus que les Russes, les avaient décimés.

Enfin l'Europe entière se souleva contre Napoléon qui abdiqua et fut exilé à l'île d'Elbe dans la Méditerranée. Il s'échappa de cette prison et revint en France. Pendant cent jours il fut encore le Napoléon adoré des Français. Mais son heure était arrivée. Battu à Waterloo, il fut transporté à l'île Sainte-Hélène, où il mourut. Son corps repose aux Invalides, entouré des souvenirs glorieux de son empire.

Résumons la carrière de Napoléon. Général à 24 ans; consul à 30 ans; empereur des Français à 35 ans; vaincu à Waterloo à 45 ans; mort à Sainte-Hélène à 52 ans. Il demeure dans l'histoire le plus grand capitaine du monde.

Le Sacre de Napoléon à Notre-Dame

Questionnaire

1. Où Napoléon est-il né?

2. Où est située la Corse?

3. Qu'arriva-t-il lorsque Napoléon était un tout jeune officier d'artillerie?

4. Les soldats l'aimaient-ils? Pourquoi?

5. Que devint-il rapidement?

6. Qu'avait-il forcé ses ennemis à faire?

7. Qui gardait encore les armes?

8. Que proposa alors Bonaparte?

9. Quel était le but de l'expédition en Égypte?

10. Jusqu'où alla-t-on?

11. Quelles sont les paroles mémorables que le général Bonaparte prononça au pied des pyramides?

12. Quel titre prit-il quand il revint en France?

13. Comment traversa-t-il les Alpes?

14. Quelle impression produisit sur les ennemis l'arrivée des Français de l'autre côté des Alpes?

15. Que s'écria le jeune général Desaix en arrivant à Marengo?

16. Marengo est-il une victoire ou une défaite pour les Français?

17. Pourquoi l'Europe se résigna-t-elle?

18. Que fit le premier consul pendant deux ans?

19. Alors quel titre prit-il?

20. Où se fit-il sacrer empereur?

21. Qui le sacra empereur?

22. Qui posa la couronne sur sa tête?
23. Quelle campagne hasardeuse entreprit-il?
24. La campagne de Russie fut-elle un succès?
25. Qu'est-ce qui avait décimé les Français?
26. Qui se souleva enfin contre Napoléon?
27. Que fit Napoléon et où l'exila-t-on?
28. Réussit-il à s'échapper?
29. Combien de temps resta-t-il en France?
30. Où a-t-il été battu?
31. Où fut-il transporté?
32. Faites un résumé de la carrière de Napoléon.
33. Quelle place occupe-t-il dans l'histoire?

Notes explicatives

en Corse, île de la Méditerranée: on n'emploie pas l'article devant le mot **île**, parce que ce mot est en apposition, c'est à dire qu'il explique le mot précédent.

Il avait forcé ses ennemis: les ennemis de la France étaient les monarchies d'Europe qui sentaient leur pouvoir menacé par la révolution en France.

pour s'emparer des Indes: les Anglais possédaient déjà aux Indes un empire immense.

il posa lui-même la couronne sur sa tête: ordinairement, au sacre d'un roi ou d'un empereur, le pape ou l'évêque plaçait la couronne sur la tête du souverain; Napoléon, en plaçant la couronne sur sa tête, voulait montrer qu'il s'était fait empereur lui-même.

Exercice de prononciation

Prononcez très clairement et distinctement les noms propres de la lecture:

Napoléon Bonaparte
Napoléon premier
la Corse
la Méditerranée
la France
l'Angleterre
l'Égypte
les Indes
les Pyramides
les Alpes
Desaix
Marengo
l'Europe
Paris
Notre-Dame
la Russie
les Russes
l'île d'Elbe
Waterloo
Sainte-Hélène
Joséphine

Expressions idiomatiques

A l'improviste.	*Unexpectedly.*
Il n'est que quatre heures de l'après-midi.	*It is only four o'clock in the afternoon.*

Exercices pratiques

I

Donnez le singulier de:

1. Ils surent se faire aimer.
2. Ils devinrent de grands soldats.
3. Ils revinrent en France.
4. Ses triomphes l'aveuglèrent.
5. Ils furent victorieux.
6. Elles réussirent dans leurs entreprises.
7. Nous allons en France.
8. Nous sommes nés aux États-Unis.
9. Êtes-vous revenus sans vos amis?

II

Écrivez les verbes au passé composé (passé indéfini) et faites les transpositions nécessaires:

1. Il (**devenir**) un grand général.
2. Nous (**revenir**) en France.
3. (**Aller**) vous en Égypte l'année dernière?
4. Je (**me résigner**) à mon sort.
5. Ils ne (**s'adresser**) pas à nous.

III

Écrivez les phrases suivantes à la forme interrogative:

1. Napoléon est né en Corse.
2. Nous demandions la paix.
3. Vous n'êtes pas revenu en France avec eux.
4. La bataille semblait perdue.
5. Il s'est occupé de cette affaire.

IV

Écrivez une courte composition sur Napoléon.

Pasteur

PARMI les grands hommes qui ont cherché à améliorer le sort de l'humanité, Pasteur occupe le premier rang.

Qui est Pasteur? Pasteur est un savant chimiste français, né en 1822, mort en 1895. Par ses travaux sur les microbes il a découvert, entre autres choses, le moyen de guérir et de prévenir la rage.

Par conséquent, quand une personne est mordue par un chien enragé, le médecin tout de suite lui applique un sérum qui détourne cette terrible maladie.

Les études de Pasteur sur les fermentations ont permis à tout le monde d'avoir du lait bon et pur, du lait qui ne met pas en danger la santé et la vie des petits enfants. Vous avez sans doute chez vous du lait pasteurisé, c'est à dire du lait dans lequel les germes ont été détruits. C'est à Pasteur que vous devez ce bon lait.

Pasteur, honoré du monde entier et couvert d'honneurs, est toujours resté simple et modeste. Voici les paroles qu'il a prononcées à Dôle, sa ville natale, quand le gouvernement a placé une plaque commémorative sur la maison où il est né.

> O mon père et ma mère! ô mes chers disparus, qui avez si modestement vécu dans cette maison, c'est à vous que je dois tout!

Louis Pasteur

Tes enthousiasmes, ma vaillante mère, tu les as fait passer en moi. Si j'ai toujours associé la grandeur de la science à la grandeur de la patrie, c'est que j'étais imprégné des sentiments que tu m'avais inspirés.

Et toi, mon cher père, dont la vie fut aussi rude que ton rude métier,[1] tu m'as montré ce que peut faire la patience dans les longs efforts. C'est à toi que je dois la ténacité dans le travail quotidien. En m'apprenant à lire, tu avais le souci de m'apprendre la grandeur de la France.

Soyez bénis, l'un et l'autre, mes chers parents, pour ce que vous avez été, et laissez-moi vous reporter l'hommage fait à cette maison.

Questionnaire

1. Qui est Pasteur ?
2. En quelle année est-il né ?
3. En quelle année est-il mort ?
4. Qu'est-ce qu'il a découvert ?
5. Sur quoi se portaient ses travaux ?
6. Qu'est-ce qui a permis à tout le monde d'avoir du lait bon et pur ?
7. Qu'est-ce que c'est que du lait pasteurisé ?
8. A qui devez-vous ce bon lait ?
9. Dans quelle ville Pasteur est-il né ?
10. Qu'est-ce que le gouvernement a placé sur la maison où il est né ?

[1] Le père de Pasteur était tanneur.

11. Dans son discours à cette occasion, à qui Pasteur a-t-il rendu hommage?

12. Que pensez-vous du discours de Pasteur?

Notes explicatives

qui avez si modestement vécu: le pronom relatif **qui** a pour antécédent le pronom **vous** sous-entendu, c'est pourquoi le verbe est à la deuxième personne du pluriel.

ce que peut faire la patience: *what patience can do*; **patience** ici est le sujet de **peut.**

Exercice de prononciation

Relisez d'une manière expressive et forte le discours de Pasteur.

Exercices pratiques

I

Conjuguez:

1. Est-ce que j'occupe le premier rang?

2. J'ai été mordu par un chien.

3. Voici la maison où je suis né.

4. C'est à mes parents que je dois tout.

II

Remplacez les traits par un pronom relatif:

1. J'étudie la vie des hommes ---- ont amélioré le sort de l'humanité.

2. Nous avons du lait ---- ne met pas la vie des enfants en danger.

3. Voici les paroles ---- Pasteur a prononcées.

4. Je vous parle de mon père ---- la vie fut rude.

5. Voici du lait dans ---- les germes ont été détruits.

6. Voici un sérum ---- vous guérira.

7. Je m'adresse à vous ---- êtes mes amis.

8. J'ai vu la maison dans ---- Pasteur est né.

9. Où sont les enfants avec ---- vous avez joué ?

10. Voici les animaux sur ---- vous avez fait des expériences.

III

Écrivez une composition sur la vie et les travaux de Pasteur.

Guynemer, le Chevalier des airs

> Mort au champ d'honneur le 11 septembre 1917. Héros légendaire, tombé en plein ciel de gloire, après trois ans de lutte ardente. Restera le plus pur symbole des qualités de la race : ténacité indomptable, énergie farouche, courage sublime. Animé de la foi la plus inébranlable dans la victoire, il lègue au soldat français un souvenir impérissable qui exaltera l'esprit de sacrifice et provoquera les plus nobles émulations.

Ces mots sont gravés sur une plaque de marbre dans la crypte du Panthéon à Paris. Cette crypte est destinée à la sépulture des grands hommes de la France.

Qui est ce « héros légendaire, tombé en plein ciel de gloire » ? C'est Georges Guynemer, « l'As des as », « le Chevalier des airs », « l'image de la France qui ne peut mourir ».

De Guynemer Théodore Roosevelt a dit : « Il fut le premier de tous parmi les combattants extraordinaires de toute nation qui, dans cette guerre, ont fait des cieux leur champ de bataille. »

Guynemer est né à Paris le 24 décembre 1894. C'était un enfant délicat et fragile, mais énergique et tenace. gâté par sa mère et ses sœurs qui l'adoraient.

Pour viriliser son fils, son père le met au collège Stanislas. Au collège il montre un orgueil incroyable ; il veut être au premier rang, et il y réussit.

Un jour son père lui demande quelle carrière le tente. Sans la moindre hésitation le jeune Georges répond : « Je veux être aviateur. » Son père proteste, il craint les dangers de la vie d'un aviateur ; mais Guynemer dit :

Guynemer

« Je n'ai pas d'autre passion. Un matin, de la cour de Stanislas, j'ai vu un avion voler. Je ne sais pas ce qui s'est passé en moi. J'ai ressenti une émotion si profonde, une émotion presque religieuse. Il faut me croire quand je vous demande de monter en avion. »

En 1914, quand la guerre est déclarée, Georges Guynemer, qui était à Biarritz avec sa famille, veut s'engager. Il passe la visite médicale, mais on le trouve trop long, trop maigre. Il essaye une seconde fois sans plus de succès. Il se désole ; il veut servir, il veut défendre la France.

Un jour sur la plage un avion capote sur le sable. Guynemer entre en conversation avec le pilote :

— Comment peut-on s'engager dans l'aviation?

— Arrangez-vous avec le capitaine, lui dit l'aviateur. Allez à Pau.

A force d'insistance Guynemer obtient qu'on l'accepte comme élève mécanicien. Enfin il est entré dans l'armée.

Son premier vol date du 10 mars 1915; son dernier vol, du 11 septembre 1917.

Pendant ces deux ans et demi, le nombre de ses combats est de huit cents, celui de ses victoires est de cinquante-trois.

Il est à l'escadrille des Cigognes. Il est infatigable. Il veut la victoire. Il personnifie la jeune France.

En août 1917 il vient voir son père à Compiègne. Celui-ci murmure:

— Il y a une limite aux forces humaines.

Et Guynemer répond:

— Oui, une limite qu'il faut toujours dépasser. Tant qu'on n'a pas tout donné, on n'a rien donné.

Le 11 septembre Guynemer est au camp d'aviation près de Dunkerque. Avec son ami le sous-lieutenant Bozon-Verduraz, il s'envole à huit heures vingt-cinq du matin. Les deux aviateurs se dirigent vers la Belgique. Au-dessus de Poelcapelle ils rencontrent un biplace allemand. Pendant que Guynemer s'apprête à combattre l'ennemi, Bozon-Verduraz aperçoit une troupe de huit monoplaces allemands. Il manœuvre pour dépister les nouveaux venus, convaincu que pendant sa manœuvre Guynemer gagnera sa cinquante-quatrième victoire.

La manœuvre accomplie, Bozon-Verduraz revient à son point de départ. Guynemer n'y est plus. Il cherche dans le ciel, il explore la terre. Aucun signe de Guynemer ou de son avion. Son cœur se serre, mais son esprit se rebelle contre l'inquiétude qui l'envahit. Il se dit: « C'est impossible, Guynemer est invincible. Il a dû retourner au camp d'aviation. » Cependant, il attend, il attend des heures qui semblent des siècles. Il ne lui reste presque plus d'essence. Attendre plus longtemps devient impossible. Il faut qu'il retourne seul au camp.

Le Monument élevé à Guynemer

Ni Guynemer ni son avion n'ont été retrouvés. Aucun vestige ne reste de sa lutte. Seul le rapport de l'ennemi, racontant le dernier combat et la chute de Guynemer à Poelcapelle, près d'Ypres, en Belgique, empêche la France de croire que Guynemer plane encore dans le ciel, veillant sur le pays qu'il aima avec tant d'ardeur.

Questionnaire

1. Lisez d'une manière expressive la citation qui ouvre cette histoire.
2. Où sont gravés ces mots?
3. Qu'est-ce que c'est que le Panthéon?
4. Où se trouve le Panthéon?
5. A quoi est destinée la crypte du Panthéon?
6. Qui est ce « héros légendaire, tombé en plein ciel »?
7. Quels surnoms a-t-on donnés à Guynemer?
8. Qu'a dit Théodore Roosevelt de Guynemer?
9. Où et quand Guynemer est-il né?
10. Georges était-il un enfant robuste?
11. Que fait son père pour viriliser son fils?
12. Au collège que montre le jeune Georges?
13. Quelle question lui fait son père un jour?
14. Que répond Guynemer?
15. Parce que son père proteste, que dit Guynemer?
16. En quelle année la grande guerre est-elle déclarée?
17. Où était Guynemer à ce moment?
18. Que veut-il faire?
19. Pourquoi ne peut-il pas s'engager?
20. Que voit-il un jour sur la plage?
21. Que demande-t-il au pilote de l'avion?
22. Que lui répond le pilote?
23. A force d'insistance qu'obtient Guynemer?
24. Quelle est la date de son premier vol?

25. Quelle est la date de son dernier vol ?

26. Combien de temps y a-t-il entre son premier vol et son dernier ?

27. Combien de combats Guynemer a-t-il eus dans ces deux ans et demi ?

28. Combien de victoires ?

29. A quelle escadrille est-il ?

30. Où va-t-il en août 1917 ?

31. Que murmure son père ?

32. Et que répond Guynemer ?

33. Où se trouve Guynemer le 11 septembre 1917 ?

34. Avec qui s'envole-t-il ?

35. A quelle heure ?

36. Où se dirigent les deux aviateurs ?

37. Que rencontrent-ils au-dessus de Poelcapelle ?

38. Pendant que Guynemer s'apprête à combattre le biplace, qu'est-ce que son compagnon aperçoit ?

39. Pourquoi Bozon-Verduraz poursuit-il les huit monoplaces ?

40. Quand il revient à son point de départ y retrouve-t-il Guynemer ?

41. Que fait-il ?

42. Combien de temps attend-il ?

43. Guynemer et son avion ont-ils été retrouvés ?

44. Comment la chute de Guynemer a-t-elle été connue ?

45. Si le rapport de l'adversaire n'avait pas été publié, que croirait la France encore aujourd'hui ?

Notes explicatives

Mort au champ d'honneur : paroles presque rituelles par lesquelles on indique qu'un soldat est mort en défendant son pays.

en plein ciel de gloire : « à l'apogée de sa gloire ». **Ciel** ici veut dire aussi « air », puisque le héros était aviateur.

Il a dû retourner : *he must have returned.*

Exercice de prononciation

Relisez avec sentiment l'inscription qui ouvre ce récit.

Composition

Écrivez une composition sur Guynemer, le Chevalier des airs.

Le Maréchal Foch

EN 1914 les Allemands déclaraient la guerre à la France. Bientôt presque tous les pays d'Europe se trouvaient divisés en deux camps. Les Allemands avaient pour alliés les Autrichiens et, plus tard, les Turcs et les Bulgares. Les Français avaient pour alliés les Belges, les Anglais avec les Canadiens, les Australiens et les Hindous. Elle avait aussi les Russes, les Serbes, les Portugais et les Italiens.

Malgré ces nombreux alliés, la France était en grand danger, parce que, de tous ces pays qui prenaient part à la guerre, seule l'Allemagne s'y était préparée. Aucun des autres pays n'était prêt, aucun n'avait cru la guerre possible en ce temps de progrès et d'internationalisme.

En 1917 les États-Unis, irrités des déprédations des sous-marins allemands, décidèrent d'entrer en guerre aussi et de joindre leurs ressources à celles des Alliés. Instant mémorable qui décida du sort de la France.

Jusqu'à ce moment, dans le camp des Alliés chaque armée avait son chef. C'était un désavantage. Il fut donc décidé qu'on mettrait le commandement suprême de toutes les nations alliées entre les mains d'un généralissime. L'homme qui fut choisi pour cette tâche immense fut Ferdinand Foch.

Ferdinand Foch est né en 1851 à Tarbes, petit village des Pyrénées, non loin de Roncevaux, où le preux chevalier Roland tomba en faisant face aux

Le Maréchal Foch

Sarrasins. Enfant, le petit Ferdinand prenait grand plaisir à écouter le récit des exploits militaires des grands hommes de France. Il était toujours prêt à écouter une histoire de soldats, si bien qu'il décida que lui aussi serait soldat et défendrait son pays contre les envahisseurs.

En 1871 il sortit de l'École polytechnique. Pendant trois ans il servit dans l'armée, passant humblement de garnison en garnison. Enfin il fut admis à l'École de guerre comme étudiant. Douze ans plus tard il devait y retourner comme professeur. Pendant les années de professorat qui suivirent, son influence morale fut grande. Par son enthousiasme, son patriotisme, ainsi que par sa grande science de l'art de la guerre, il forma des élèves qui portèrent dans l'armée un dévouement et une foi sans limite.

Comme commandant en chef de toutes les armées des Alliés, Foch étonna les Allemands par une tactique pour laquelle ils n'étaient pas préparés. L'arrivée des soldats américains et le commandement unique répandirent le découragement dans les rangs des soldats ennemis, et le gouvernement allemand accepta les conditions du gouvernement français. C'est Foch qui lut aux représentants des forces allemandes les termes de l'armistice. Le général allemand trouvait les conditions pénibles, il protesta. Foch resta ferme. « Acceptez nos conditions, ou nous nous rendons à Berlin. » Soixante-douze heures plus tard, le 11 novembre 1918, l'armistice était signé.

Foch alors dit au premier ministre Clemenceau: « Ma tâche est finie, la vôtre commence. » Mais sa tâche n'était pas finie — la tâche d'un homme ne finit qu'avec la mort. Il lui restait, en temps de paix, à veiller à la sûreté du pays. Il accomplit sa tâche en temps de paix comme il l'avait accomplie en temps de guerre.

En témoignage de reconnaissance et d'admiration, le gouvernement français fit revivre un vieux titre, titre qu'avaient porté quelques-uns des héros que le jeune Ferdinand avait admirés dans son enfance. Il fut nommé « maréchal de France ».

En 1921 le maréchal Foch vint aux États-Unis en mission d'amitié et de reconnaissance. L'Amérique le reçut avec amour et enthousiasme. Chaque ville aurait voulu lui montrer sa reconnaissance et lui exprimer l'admiration de ses citoyens. Foch fut profondément touché de sa réception aux États-Unis. Il y laissa son cœur, selon ses propres paroles, et le peuple américain lui donna le sien.

En 1929, après une maladie de quelques semaines, le maréchal Foch mourut à Paris à l'âge de soixante-dix-huit ans. Le monde entier se joignit à la France pour lui rendre les derniers honneurs. On plaça son corps sous l'Arc de triomphe, près du tombeau du Soldat inconnu, et pendant des heures, les grands du monde et les humbles, les jeunes et les vieux, les militaires et les civils, défilèrent devant son cercueil. Puis, à minuit, au son voilé des tambours, au milieu d'une foule émue, le corps du grand maréchal fut transporté à Notre-Dame où le service funèbre eut lieu le matin, chanté par le cardinal de Paris.

Enfin, accompagnés d'une foule innombrable, les restes du maréchal Foch furent déposés aux Invalides, auprès de cet autre génie militaire, Napoléon. Tous deux y reposent en paix.

Questionnaire

1. Qu'arriva-t-il en 1914?

2. Comment se trouvaient divisés presque tous les pays d'Europe?

3. Qui les Allemands avaient-ils pour alliés?

4. Quels étaient les alliés de la France?

5. Pourquoi la France était-elle en grand danger?

6. Pourquoi les Alliés n'étaient-ils pas prêts à faire la guerre?

7. En quelle année les États-Unis entrèrent-ils en guerre?

8. Pourquoi se décidèrent-ils à se joindre aux Alliés?

9. Sous quel désavantage les Alliés s'étaient-ils trouvés jusqu'à ce moment?

10. Que décida-t-on?

11. Quel est l'homme qui fut choisi comme généralissime?

12. Où Ferdinand Foch est-il né?

13. Que savez-vous de ce petit village?

14. Que savez-vous de l'enfance de Ferdinand Foch?

15. Que voulut-il devenir?

16. En quelle année sortit-il de l'École polytechnique?

17. Que fit-il pendant les trois années qui suivirent?

18. Où fut-il admis comme étudiant?

19. Que devait-il faire douze ans plus tard à l'École de guerre?

20. Quelle influence a-t-il exercé pendant son professorat?

21. Que firent les élèves qu'il forma?

22. Quels sont les événements qui ont préparé la signature de l'armistice?

23. Quel jour l'armistice fut-il signé?

24. Que dit alors Foch à Clemenceau?

25. Qui était Clemenceau?

26. Que fit le gouvernement français en témoignage de reconnaissance envers Foch?

27. Quel voyage le maréchal Foch entreprit-il en 1921?

28. Que savez-vous de ce voyage?

29. Quand le maréchal Foch mourut-il?

30. Quel âge avait-il?

31. Dites ce que vous savez des honneurs funéraires qui furent rendus au maréchal Foch.

32. Où le corps du maréchal Foch fut-il déposé?

33. Auprès de quel autre grand général le maréchal Foch repose-t-il?

Notes explicatives

enfant: *as a child.*

écouter le récit: le verbe **écouter** demande un complément direct. Il ne faut pas dire **écouter *à* un récit,** comme on dit en anglais *listen to a story*, mais **écouter un récit.**

lui aussi serait soldat: *he also would be a soldier.* On dit lui et non il parce que le pronom est séparé du verbe par le mot **aussi**. Remarquez qu'on ne dit pas **un soldat**: les noms de profession ou de métier ou de religion s'emploient comme adjectifs sans l'article avec les verbes **être, se faire, devenir: il est médecin, elle deviendra institutrice, il se fera prêtre.**

École de guerre: École supérieure de guerre, qui a été fondée en 1878 pour former des officiers d'état-major. Les étudiants sont choisis après concours parmi les lieutenants et capitaines de vingt-huit à trente-huit ans.

Arc de triomphe de l'Étoile: ce monument a été élevé pour commémorer les victoires de Napoléon. Il porte les noms de 386 généraux de la République et de l'Empire. Sous la grande arcade se trouve le tombeau du Soldat inconnu.

Notre-Dame: grande cathédrale, merveille de l'architecture gothique.

Invalides: monument construit sous le règne de Louis XIV par Mansard. Sous le dôme dans une crypte ouverte reposent, dans un tombeau de porphyre, les restes de Napoléon.

Exercice de prononciation

Prononciation de **ch**:

Foch	choisi	maréchal
chaque	tâche	chanté
Autrichien	chef	politechnique

Composition

Écrivez une composition sur la vie et la mort du maréchal Foch.

Vocabulaire

TABLE DES SYMBOLES PHONÉTIQUES

VOWELS, NASALS, AND DIPHTHONGS		
SYMBOL	SOUND	EXAMPLE
[a]	French **a** (open)	**chatte** [ʃat]
[ɑ]	French **a** (close)	**chat** [ʃɑ]
[e]	**é** (close **e**)	**blé** [ble]
[ɛ]	**è** (open **e**)	**père** [pɛːr]
[ə]	**e** mute	**le** [lə]
[œ]	French **eu** (open)	**neuf** [nœf]
[ø]	French **eu** (close)	**feu** [fø]
[i]	French **i**	**dire** [diːr]
[o]	**o** (close)	**chose** [ʃoːz]
[ɔ]	**o** (open)	**or** [ɔːr]
[y]	French **u**	**mur** [myːr]
[u]	French **ou**	**jour** [ʒuːr]
[ɑ̃]	nasal **a**	**enfant** [ɑ̃fɑ̃]
[ɛ̃]	nasal **i**	**fin** [fɛ̃]
[ɔ̃]	nasal **o**	**long** [lɔ̃]
[œ̃]	nasal **u**	**un** [œ̃]
[ɥ]	French **u** joined to a sounded vowel	**lui** [lɥi]
[w]	English *w*	**moi, oui** [mwa, wi]
CONSONANTS		
[b]	**b**	**bon** [bɔ̃]
[d]	**d**	**dans** [dɑ̃]
[f]	**f**	**froid** [frwɑ]
[g]	hard (guttural) **g**	**galon** [galɔ̃]
[ʒ]	soft **g**, **j**	**génie** [ʒeni]
[k]	**k**, hard **c**, **qu**	**coq** [kɔk]
[l]	**l**	**la** [la]
[m]	**m**	**ma** [ma]
[n]	**n**	**ne** [nə]
[ɲ]	French **gn**	**campagne** [kɑ̃paɲ]
[p]	**p**	**petit** [pəti]
[r]	**r**	**rond** [rɔ̃]
[s]	**s**, soft **c**, **ç**	**ce, se** [sə]
[ʃ]	French **ch**, English *sh*	**chat** [ʃɑ]
[t]	**t**	**ta** [ta]
[v]	**v**	**venir** [vəniːr]
[j]	**y**, as in English *yes*, **ll** (liquid)	**yeux** [jø], **fille** [fiːj]
[z]	**z**	**zèle** [zɛl]

ː lengthens sound of preceding letter — ~ nasalizes sound

Vocabulaire

The sign ∾ means a repetition of the word in black type at the head of the paragraph; thus, **d'∾** under **abord** means **d'abord.**

a [a] *pres. of* **avoir**; **il y ∾** there is
à [a] to, at, in, with
abandonner [abɑ̃dɔne] abandon, leave
abdiquer [abdike] abdicate
abord: d'∾ [dabɔːr] at first, in the first place; **tout d'∾** at the very first
abriter [abrite] shelter
absence [apsɑ̃ːs] *f.* absence
abstrait [apstrɛ] abstract
abus [aby] *m.* abuse
Académie française [akademi frɑ̃sɛːz] *f.* French Academy (*see Notes Explicatives, p. 96*)
accepter [aksɛpte] accept
accident [aksidɑ̃] *m.* accident
acclamer [aklame] acclaim
accompagner [akɔ̃paɲe] accompany
accomplir [akɔ̃pliːr] accomplish
accomplissement [akɔ̃plismɑ̃] *m.* accomplishment
accorder [akɔrde] grant
accourir [akuriːr] run, hasten
accuser [akyze] accuse
acharné [aʃarne] desperate, relentless
acheter [aʃte] buy, purchase
achever [aʃəve] end, finish
acier [asje] *m.* steel
acte [akt] *m.* action, act
action [aksjɔ̃] *f.* action
activité [aktivite] *f.* activity
actuel [aktyɛl] **(actuelle)** present
Adam [adɑ̃] *m.* Adam
adjectif [adʒɛktif] *m.* adjective
admettre [admɛtr] admit
administrateur [administratœːr] *m.* administrator
administrer [administre] administer
admirable [admirabl] admirable
admiration [admirɑsjɔ̃] *f.* admiration
admirer [admire] admire
admis [admi] *p.p. of* **admettre**
adopter [adɔpte] adopt
adoré [adɔre] beloved, worshiped
adorer [adɔre] adore, worship
adresse [adrɛs] *f.* skill
adresser [adrɛse] address; **s'∾ à** address
adverbe [advɛrb] *m.* adverb
adversaire [advɛrsɛːr] *m.* adversary, opponent
affable [afabl] courteous, kind
affaire [afɛːr] *f.* business, affair
affronter [afrɔ̃te] face
afin de [afɛ̃ də] in order to

Africain [afrikɛ̃] *m.* African
Afrique [afrik] *f.* Africa
âge [ɑːʒ] *m.* age; **quel ∾ avait** how old was; **moyen ∾** Middle Ages
ai [e] *pres. of* **avoir**
aide [ɛːd] *f.* aid, help
aide-de-camp [ɛːd-də-kɑ̃] *m.* aide-de-camp
aider [ɛde] aid, help
aïeux [ajø] *m. pl.* ancestors
aile [ɛl] *f.* wing
aimer [ɛme] love, like
aîné [ene] older, eldest, elder
ainsi [ɛ̃si] thus, so, and so; **∾ que** as well as
air [ɛːr] *m.* air, look; **avoir l'∾ (de)** look, look like
ait [ɛ] *pres. subj. of* **avoir**
ajouter [aʒute] add
alarme [alarm] *f.* alarm
alarmé [alarme] alarmed
Albret: Jeanne d'∾ [ʒɑːn dalbrɛ] queen of Navarre, mother of Henry IV, king of France
Allemagne [almaːɲ] *f.* Germany
allemand [almɑ̃] German
Allemand [almɑ̃] *m.* German
aller [ale] go; **s'en ∾** go, go away
allié [alje] *m.* ally
s'allier [salje] ally oneself, be allied
alors [alɔːr] then
Alpes [alp] *f. pl.* Alps
Alsace [alzas] *f.* a province in the east of France
amarante [amarɑ̃ːt] *f.* amaranth
ambassadeur [ɑ̃basadœːr] *m.* ambassador
ambition [ɑ̃bisjɔ̃] *f.* ambition
ambulance [ɑ̃bylɑ̃ːs] *f.* field hospital
âme [ɑːm] *f.* soul, heart
améliorer [ameljɔre] improve, better, ameliorate
amener [amne] take, bring
américain [amerikɛ̃] American
Américain [amerikɛ̃] *m.* American
Amérique [amerik] *f.* America; **∾ du Nord** North America; **∾ du Sud** South America
ami [ami] *m.* friend
amie [ami] *f.* friend
amitié [amitje] *f.* friendship, good will
amour [amuːr] *m.* love
amoureux [amurø] *m.* lover
amuser [amyze] amuse, entertain; **s'∾** have a pleasant time, enjoy oneself
an [ɑ̃] *m.* year; **à treize ∾s** at thirteen (years of age); **avait dix-neuf ∾s** was nineteen years old
ancêtres [ɑ̃sɛːtr] *m. pl.* ancestors
ancien [ɑ̃sjɛ̃] **(ancienne)** old, ancient; former
anglais [ɑ̃glɛ] English
Anglais [ɑ̃glɛ] *m.* Englishman, English
Angleterre [ɑ̃glətɛːr] *f.* England
animal [animal] **(animaux)** *m.* animal
animé [anime] animated, moved

année [ane] *f.* year
antécédent [ɑ̃tesedɑ̃] *m.* antecedent
août [u] *m.* August
apanage [apanaːʒ] *m.* appanage, portion
apercevoir [apɛrsəvwaːr] perceive, see, notice
aperçoit [apɛrswa] *pres. of* **apercevoir**
aperçu [apɛrsy] *p.p. of* **apercevoir**
aperçurent [apɛrsyːr] *past def. of* **apercevoir**
aperçut [apɛrsy] *past def. of* **apercevoir**
apogée [apɔʒe] *f.* acme, zenith, height
apparaître [aparɛːtr] appear
appartenir [apartəniːr] belong
appartiennent [apartjɛn] *pres. of* **appartenir**
appartient [apartjɛ̃] *pres. of* **appartenir**
appeler [aple] call; **s'∾** be called
applaudir (à) [aplodiːr (a)] applaud
appliquer [aplike] apply
apporter [apɔrte] bring
apposition [apozisjɔ̃] *f.* apposition
apprenant [aprənɑ̃] *pres. part. of* **apprendre**
apprendre [aprɑ̃ːdr] learn
s'apprêter [saprɛte] get ready, make ready
apprirent [apriːr] *past def. of* **apprendre**
s'approcher [saprɔʃe] approach, come near
après [aprɛ] after, afterwards, later
après-midi [aprɛmidi] *m. and f.* afternoon; **de l'∾** in the afternoon
Arabe [arab] *m.* Arab
arbre [arbr] *m.* tree
arc [ark] *m.* arch; **Arc de triomphe** triumphal arch
Arc: Jeanne d'∾ [ʒɑːn dark] Joan of Arc
arcade [arkad] *f.* arcade
archevêque [arʃəvɛːk] *m.* archbishop
architecte [arʃitɛkt] *m.* architect
architecture [arʃitɛktyːr] *f.* architecture
ardent [ardɑ̃] ardent
ardeur [ardœːr] *f.* ardor, enthusiasm, warmth
argent [arʒɑ̃] *m.* silver, money
arme [arm] *f.* arm, weapon; *pl.* coat of arms
armée [arme] *f.* army
armer [arme] arm; **∾ chevalier** dub a knight
armistice [armistis] *m.* armistice
arquebuse [arkəbyːz] *f.* arquebus, an old firearm
Arques [ark] a town in Normandy
arranger [arɑ̃ʒe] arrange, settle; **s'∾** make arrangements, settle
s'arrêter [sarɛte] stop

arrière [arjɛːr] back; **en** ∾ back
arrière-garde [arjɛːr-gard] *f.* rear guard
arrière-grand-père [arjɛːr-grɑ̃-pɛːr] *m.* great-grandfather
arrivée [arive] *f.* arrival
arriver [arive] come; happen
art [aːr] *m.* art
article [artikl] *m.* article
artillerie [artijri] *f.* artillery
artiste [artist] *m.* artist
as [ɑːs] *m.* ace
ascendant [asɑ̃dɑ̃] *m.* influence
Asie [azi] *f.* Asia
aspect [aspɛ] *m.* aspect
assassiner [asasine] assassinate
s'asseoir [saswaːr] sit, sit down
s'asseyait [sasɛjɛ] *imperf. of* s'asseoir
assez [ase] enough, rather, quite
assiéger [asjeʒe] besiege
assis [asi], *p. p. of* **s'asseoir,** seated, sitting
assister à [asiste a] be present at, take part in
associer [asɔsje] associate
attacher [ataʃe] attach, fasten
attaquer [atake] attack
atteindre [atɛ̃ːdr] reach
attendant: en ∾ [ɑ̃natɑ̃dɑ̃] in the meanwhile
attendre [atɑ̃ːdr] wait, wait for
attirer [atire] attract, draw
attribuer [atribye] attribute
au [o] to the, at the, in the
aucun [okœ̃] no, none
audace [odas] *f.* audacity, boldness
au-dessus [odsy] above
aujourd'hui [oʒurdɥi] today
auparavant [oparavɑ̃] before, at first
auprès de [oprɛ də] near
auquel [okɛl] to which
aussi [osi] also, too; as
aussitôt [osito] at once
Australien [ɔstraljɛ̃] *m.* Australian
autocrate [ɔtɔkrat] *m.* autocrat
autorité [ɔtɔrite] *f.* authority
autour de [otuːr də] around
autre [oːtr] other
autrefois [otrəfwa] formerly
Autriche [otriʃ] *f.* Austria
Autrichien [otriʃjɛ̃] *m.* Austrian
Autrichienne [otriʃjɛn] *f.* Austrian
Auvergne [ɔvɛrːɲ] *f.* a former province of France
aux [o] *pl. of* **au**
avait [avɛ] *imperfect of* **avoir**; **il y** ∾ there was, there were
avance [avɑ̃ːs] *f.* advance; **d'**∾ in advance
avancer [avɑ̃se] advance; **s'**∾ advance
avant [avɑ̃] before
avec [avɛk] with
aventure [avɑ̃tyːr] *f.* adventure
s'aventurer [savɑ̃tyre] venture
aventurier [avɑ̃tyrje] **(aventurière)** venturesome
aveugle [avœːgl] *m.* blind
aveugler [avøgle] blind
aviateur [avjatœːr] *m.* aviator
aviation [avjasjɔ̃] *f.* aviation
avion [avjɔ̃] *m.* airplane

avoir [avwaːr] have; be
ayant [ɛjɑ̃] *pres. part. of* **avoir**

bal [bal] *m.* ball, dance
balle [bal] *f.* ball (toy)
baptême [batɛːm] *m.* baptism
barbe [barb] *f.* beard
barbiche [barbiʃ] *f.* goatee
baron [barɔ̃] *m.* baron
Bart: Jean ~ [ʒɑ̃ bɑːr] a French privateer
Bastille [bastiːj] *f.* Bastille
bataille [bataːj] *f.* battle
bateau [bato] *m.* boat
bâtiment [bɑtimɑ̃] *m.* building
bâtir [bɑtiːr] build
battre [batr] beat; **se** ~ fight
Bayard [bajɑːr] *m.* Bayard
Béarn [beaːr] *m.* Bearn, former province of France
beau [bo] **(belle)** beautiful, handsome
beaucoup [boku] much, very much, many
beauté [bote] *f.* beauty
Belge [bɛlʒ] *m.* Belgian
Belgique [bɛlʒik] *f.* Belgium
belle [bɛl] *f. of* **beau**
bénir [beniːr] bless
Berlin [bɛrlɛ̃] Berlin
bête [bɛːt] *f.* beast, animal
Biarritz [bjaritz] a town on the Atlantic coast of France, near Spain
bien [bjɛ̃] well, very; ~ **des,** ~ **du** many; **si** ~ **que** so that, so much so that
bienfaisance [bjɛ̃fəzɑ̃ːs] *f.* charity
bienfaitrice [bjɛ̃fɛtris] *f.* benefactress
bientôt [bjɛ̃to] soon
bienvenu [bjɛ̃vəny] *m.* welcome; **être le** ~ be welcome
biplace [biplas] *m.* two-seater airplane
blanc [blɑ̃] **(blanche)** white
blanchir [blɑ̃ʃiːr] whiten
blessé [blɛse] *m.* wounded
blesser [blɛse] wound
Boileau: Nicolas ~-Despréaux [nikɔlɑ bwalo-depreo] a French poet and critic
bois [bwɑ] *m.* wood
bon [bɔ̃] **(bonne)** good, kind
Bonaparte: Napoléon ~ [napɔleɔ̃ bɔnapart] Napoleon Bonaparte
bonheur [bɔnœːr] *m.* happiness
bonté [bɔ̃te] *f.* kindness, goodness
bord [bɔːr] *m.* edge
bordé [bɔrde] bordered
bouclier [buklie] *m.* shield
Bouillon: Godefroy de ~ [gɔdfrwɑ də bujɔ̃] a French duke, leader of the First Crusade and first king of Jerusalem
Bourbon: Antoine de ~ [ɑ̃twan də burbɔ̃] father of Henry IV of France
bourgeois [burʒwɑ] *m.* commoner, townsman
Bourgogne [burgɔɲ] *f.* Burgundy, a former province of France
bourreau [buro] *m.* executioner
Bozon-Verduraz [bozɔ̃-vɛrdyrɑ] an aviator in the World War

bras [brɑ] *m.* arm
brave [brav] brave
bravement [bravmɑ̃] bravely
braver [brave] face
bravoure [bravuːr] *f.* bravery
Bretagne [brətaɲ] *f.* Brittany, a former province of France
brillant [brijɑ̃] brilliant, bright
briller [brije] shine
briser [brize] break
broderie [brɔdri] *f.* embroidery
brouter [brute] graze, browse
bûcher [byʃe] *m.* stake, pyre
Bulgare [bylgɑːr] *m.* Bulgarian
but [by] *m.* aim

cabane [kaban] *f.* hut
cachot [kaʃo] *m.* dungeon, prison
Calais [kalɛ] a French port on the English Channel
camarade [kamarad] *m.* comrade
camp [kɑ̃] *m.* camp
campagne [kɑ̃paɲ] *f.* campaign, country
camper [kɑ̃pe] camp
Canada [kanada] *m.* Canada
Canadien [kanadjɛ̃] *m.* Canadian
capitaine [kapitɛn] *m.* captain
capitulaires [kapitylɛːr] *m. pl.* collection of laws, capitularies
capoter [kapɔte] make a forced landing, capsize
caprice [kapris] *m.* caprice, fancy
captivité [kaptivite] *f.* captivity
car [kar] for, because
caractère [karaktɛːr] *m.* character
cardinal [kardinal] **(cardinaux)** cardinal
cardinal [kardinal] *m.* cardinal
Caroline du Sud [karɔlin dy syd] *f.* South Carolina
carré [kare] square
carrière [karjɛːr] *f.* career
carte [kart] *f.* map
Cartier: Jacques ∾ [ʒɑːk kartje] a French navigator
cas [kɑ] *m.* case
casque [kask] *m.* helmet
Castille: Blanche de ∾ [blɑ̃ːʃ də kastiːj] a queen of France, mother of St. Louis
cathédrale [katedral] *f.* cathedral
catholique [katɔlik] *m.* Catholic
cause [koːz] *f.* cause; **à** ∾ on account
cavalier [kavalje] *m.* horseman, cavalier, rider
ce [sə] this, that, it; ∾ **qui**, ∾ **que** what
ceci [səsi] this
céder [sede] cede, give up
cela [sla] that
célèbre [selɛːbr] celebrated
célébrer [selebre] celebrate; **se** ∾ be celebrated
céleste [selɛst] celestial, heavenly
celle [sɛl] *f. of* **celui**; ∾**s** those
celui [səlɥi] *m.* that, the one
celui-ci [səlɥisi] this one, the latter
cent [sɑ̃] *m.* hundred
centre [sɑ̃ːtr] *m.* center
cependant [spɑ̃dɑ̃] however
cercueil [sɛrkœːj] *m.* coffin

cerner [serne] surround
certain [sɛrtɛ̃] certain
ces [se] these, those
César: Jules ∾ [ʒyl sezaːr] Julius Cæsar
c'est-à-dire [sɛtadiːr] that is to say
cet [sɛt] *m.* this, that
cette [sɛt] *f. of* **ce** *and* **cet**
ceux [sø] *pl. of* **celui,** those
ceux-ci [søsi] *pl. of* **celui-ci,** these
chacun [ʃakœ̃] each, everyone
chaîne [ʃɛːn] *f.* chain
chaire [ʃɛːr] *f.* pulpit
Chambord: Château de ∾ [ʃɑto də ʃɑ̃bɔːr] a castle in the region of the river Loire
chambre [ʃɑ̃ːbr] *f.* room
champ [ʃɑ̃] *m.* field
changer [ʃɑ̃ʒe] change; ∾ **de** change
chanson [ʃɑ̃sɔ̃] *f.* song
chanter [ʃɑ̃te] sing
chapeau [ʃapo] *m.* hat
chaque [ʃak] each
charger [ʃarʒe] charge; load
charitable [ʃaritabl] charitable
charité [ʃarite] *f.* charity
Charlemagne [ʃarləmaːɲ] *m.* Charlemagne *or* Charles the Great
Charles [ʃarl] Charles
charme [ʃarm] *m.* charm
charmer [ʃarme] charm, delight
charrette [ʃarɛt] *f.* cart
chasse [ʃas] *f.* hunt
chasser [ʃase] hunt, drive away
château [ʃɑto] *m.* castle; ∾ **fort** fort; **de** ∾ **en** ∾ from castle to castle; ∾ **en Espagne** castle in the air
châtelaine [ʃatlɛn] *f.* lady of the castle
chef [ʃɛf] *m.* chief
chef-d'œuvre [ʃedœːvr] *m.* masterpiece
chemin [ʃmɛ̃] *m.* way, road
cheminer [ʃəmine] travel, walk along
chêne [ʃɛːn] *m.* oak
cher [ʃɛːr] **(chère)** dear
chercher [ʃɛrʃe] seek, look for
cheval [ʃəval] **(chevaux)** *m.* horse; **à** ∾ on horseback
chevaleresque [ʃəvalrɛsk] chivalrous
chevalerie [ʃəvalri] *f.* chivalry, knighthood
chevalier [ʃəvalje] *m.* chevalier, knight
chez [ʃe] at the house of; ∾ **qui** at whose house; ∾ **vous** at your house
chien [ʃjɛ̃] *m.* dog
chimiste [ʃimist] *m.* chemist
Chinon [ʃinɔ̃] a town, now ruined, in the valley of the river Loire
choisir [ʃwasiːr] choose
choisissent [ʃwazis] *pres. of* **choisir**
choisissons [ʃwazisɔ̃] *pres. of* **choisir**
chose [ʃoːz] *f.* thing
chrétien [kretjɛ̃] **(chrétienne)** Christian
chrétien [kretjɛ̃] *m.* Christian

Christ [krist] *m.* Christ
chute [ʃyt] *f.* fall
ciel [sjɛl] *m.* heaven, sky
cieux [sjø] *pl. of* ciel
cigogne [sigɔɲ] *f.* stork; **escadrille des Cigognes** title of a French airplane squadron
cimier [simje] *m.* crest
cinq [sɛ̃k] five
cinquante [sɛ̃kɑ̃ːt] fifty
cinquante-quatrième [sɛ̃kɑ̃tkatriɛm] fifty-fourth
cinquième [sɛ̃kjɛm] fifth
circulaire [sirkylɛːr] round
citation [sitɑsjɔ̃] *f.* quotation
citer [site] quote
citoyen [sitwajɛ̃] *m.* citizen
civil [sivil] civil
civil [sivil] *m.* civilian
clair [klɛːr] clear, bright; ∾ **de lune** moonlight
clairement [klɛrmɑ̃] clearly
clarté [klarte] *f.* light, clearness
classe [klas] *f.* class
classique [klasik] classic, classical
clé [kle] *f.* key
Clemenceau: Georges ∾ [ʒɔrʒ klemɑ̃so] a French politician, prime minister in World War
Clermont [klɛrmɔ̃] a city in the central part of France
climat [klimɑ] *m.* climate
cloche [klɔʃ] *f.* bell
Clovis [klɔvis] the first king of France
cœur [kœːr] *m.* heart
col [kɔl] *m.* pass
Colbert [kɔlbɛːr] a great financier under Louis XIV
colère [kɔlɛːr] *f.* anger
collège [kɔlɛːʒ] *m.* college, school
colline [kɔlin] *f.* hill
Colomb: Christophe ∾ [kristɔf kɔlɔ̃] Christopher Columbus
colonie [kɔlɔni] *f.* colony
colonne [kɔlɔn] *f.* column
se colorer [sə kɔlɔre] take on a deep tint, dawn
combat [kɔ̃bɑ] *m.* combat, fight
combattant [kɔ̃batɑ̃] *m.* combattant
combattre [kɔ̃batr] combat, fight, wage war
combien [kɔ̃bjɛ̃] how much, how many; ∾ **de** how many; ∾ **y a-t-il** how long is it; ∾ **de temps** how long
commandant [kɔmɑ̃dɑ̃] *m.* commander; major (in army)
commandement [kɔmɑ̃dmɑ̃] *m.* command, order
commander [kɔmɑ̃de] command, order
comme [kɔm] like, as, as a
commémoratif [kɔmemɔratif] **(commémorative)** commemorative, memorial
commémorer [kɔmemɔre] commemorate
commencer [kɔmɑ̃se] begin, commence
comment [kɔmɑ̃] how; ∾ **s'appelait** what was the name of
commerce [kɔmɛrs] *m.* commerce, trade

compagnie [kɔ̃paɲi] *f.* company
compagnon [kɔ̃paɲɔ̃] *m.* companion
comparer [kɔ̃pare] compare
compassion [kɔ̃pɑsjɔ̃] *f.* compassion, pity
compatriote [kɔ̃patriɔt] *m.* compatriot
Compiègne [kɔ̃pjɛːɲ] a town on the river Oise, not very far from Paris
complément [kɔ̃plemɑ̃] *m.* complement, object
composer [kɔ̃poze] compose
composition [kɔ̃pozisjɔ̃] *f.* composition
comte [kɔ̃ːt] *m.* count
comté [kɔ̃te] *m.* county
Conciergerie [kɔ̃sjɛrʒəri] *f.* a prison on the river Seine, in Paris
concourir [kɔ̃kuriːr] concur
concours [kɔ̃kuːr] *m.* contest, competition
concret [kɔ̃krɛ] concrete
concurrent [kɔ̃kyrɑ̃] *m.* opponent, rival, competitor
condamné [kɔ̃dɑne] *m.* condemned
condamner [kɔ̃dɑne] condemn
condition [kɔ̃disjɔ̃] *f.* condition
conditionnel [kɔ̃disjɔnɛl] *m.* conditional
conduire [kɔ̃dɥiːr] conduct, lead, take
conduisent [kɔ̃dɥiːz] *pres. of* **conduire**
conduite [kɔ̃dɥit] *f.* conduct; leadership
confiance [kɔ̃fjɑ̃ːs] *f.* confidence, trust
confier [kɔ̃fje] confide, intrust
confisquer [kɔ̃fiske] confiscate
confort [kɔ̃fɔːr] *m.* comfort
congrégation [kɔ̃gregɑsjɔ̃] *f.* congregation
Congrès [kɔ̃grɛ] *m.* Congress
conjonctif [kɔ̃ʒɔ̃ktif] **(conjonctive)** conjunctive
conjuguer [kɔ̃ʒyge] conjugate
connaître [kɔnɛːtr] know
connu [kɔny] *p.p. of* **connaître**
conquérir [kɔ̃keriːr] conquer
conquête [kɔ̃kɛːt] *f.* conquest
conquis [kɔ̃ki] *p.p. and past def. of* **conquérir**
conseil [kɔ̃sɛːj] *m.* counsel, advice
conseiller [kɔ̃sɛje] advise
conséquent: par ∼ [par kɔ̃sekɑ̃] consequently
conservation [kɔ̃sɛrvɑsjɔ̃] *f.* conservation, preservation
considérable [kɔ̃siderabl] considerable
consonne [kɔ̃sɔn] *f.* consonant
constant [kɔ̃stɑ̃] constant
Constantinople [kɔ̃stɑ̃tinɔpl] *f.* Constantinople
construction [kɔ̃stryksjɔ̃] *f.* construction, building
construire [kɔ̃strɥiːr] build, construct
construisaient, construisait [kɔ̃strɥisɛ] *imperfect of* **construire**
construit [kɔ̃strɥi] *p.p. of* **construire**

consul [kɔ̃syl] *m.* consul
conte [kɔ̃ːt] *m.* tale
contempler [kɔ̃tɑ̃ple] behold, look at
contenir [kɔ̃tniːr] contain
content [kɔ̃tɑ̃] pleased, contented
contient [kɔ̃tjɛ̃] *pres. of* **contenir**
continuer [kɔ̃tinɥe] continue
contre [kɔ̃ːtr] against
contribuer [kɔ̃tribɥe] contribute
convaincre [kɔ̃vɛ̃ːkr] convince
convaincu [kɔ̃vɛ̃ky] *p.p. of* **convaincre**
conversation [kɔ̃vɛrsɑsjɔ̃] *f.* conversation
conversion [kɔ̃vɛrsjɔ̃] *f.* conversion
convertir [kɔ̃vɛrtiːr] convert
cor [kɔːr] *m.* horn
corde [kɔrd] *f.* string, rope, cord
Corneille: Pierre ∾ [pjɛːr kɔrnɛːj] a great French dramatist
corps [kɔːr] *m.* body
correspondre [kɔrɛspɔ̃ːdr] correspond
Corse [kɔrs] *f.* Corsica
côte [koːt] *f.* coast
côté [kote] *m.* side; **à** ∾ **de** near, by the side of; **à ses** ∾**s** near him
couché [kuʃe] lying
se coucher [sə kuʃe] lie down
coucher [kuʃe] *m.* setting
couleur [kulœːr] *f.* color
coup [ku] *m.* stroke, blow, shot; ∾ **d'œil** glance; **tout d'un** ∾, **tout à** ∾ suddenly
couper [kupe] cut
cour [kuːr] *f.* court, yard
courage [kuraːʒ] *m.* courage
courageusement [kuraʒøzmɑ̃] courageously
courageux [kuraʒø] (**courageuse**) courageous
courir [kuriːr] run
couronne [kurɔn] *f.* crown
couronner [kurɔne] crown, coronate
court [kuːr] short
courtois [kurtwɑ] courteous; **armes** ∾**es** blunt arms
courtoisie [kurtwɑzi] *f.* courtesy
cousin [kuzɛ̃] *m.* cousin
coûter [kute] cost
couvert [kuvɛːr] *p.p. of* **couvrir**
couvrir [kuvriːr] cover
craindre [krɛ̃ːdr] fear
crains [krɛ̃] *pres. of* **craindre**
crainte [krɛ̃ːt] *f.* fear
créature [kreatyːr] *f.* creature
crédit [kredi] *m.* credit
créer [kree] create
crever [krəve] put out
cri [kri] *m.* cry
crier [krie] cry
Crillon [krijɔ̃] famous French captain and friend of Henry IV
croire [krwɑːr] believe
croisade [krwɑzad] *f.* crusade
croisé [krwɑze] *m.* crusader
croiser [krwɑze] cross, fold; **se** ∾ cross
croix [krwɑ] *f.* cross

Croix-Rouge [krwɑ-ruːʒ] *f.* Red Cross
croyaient, croyait [krwɑjɛ] *imperfect of* **croire**
croyant [krwɑjɑ̃] *pres. part. of* **croire**
cru [kry] *p.p. of* **croire**
cruauté [kryote] *f.* cruelty
cruellement [kruɛlmɑ̃] cruelly
crypte [kript] *f.* crypt
cultivateur [kyltivatœːr] *m.* farmer
cultiver [kyltive] cultivate
curieux [kyrjø] *m.* looker-on, curious person

dame [dam] *f.* lady
danger [dɑ̃ʒe] *m.* danger
dangereux [dɑ̃ʒrø] **(dangereuse)** dangerous
dans [dɑ̃] in, into
danser [dɑ̃se] dance
date [dat] *f.* date
dater [date] date
dauphin [dofɛ̃] *m.* dauphin, eldest son of the kings of France; dolphin (a fish)
Dauphiné [dofine] *m.* a former province of France
de [də] of, from, to, in, with, about, some, any
se débarrasser [sə debarase] get rid
debout [dəbu] standing, upright
décapitation [dekapitɑsjɔ̃] *f.* beheading
décapiter [dekapite] behead
décembre [desɑ̃ːbr] *m.* December
déchirer [deʃire] tear
décider [deside] decide
décimer [desime] decimate, destroy a large proportion of
déclarer [deklare] declare
découragement [dekuraʒmɑ̃] *m.* discouragement
se décourager [sə dekuraʒe] become discouraged
découvert [dekuvɛːr] *p.p. of* **découvrir**
découverte [dekuvɛrt] *f.* discovery
découvrir [dekuvriːr] discover
décret [dekrɛ] *m.* decree
décrire [dekriːr] describe
décrivez [dekrive] *imperative of* **décrire**
défaite [defɛt] *f.* defeat
défaut [defo] *m.* fault
défendre [defɑ̃ːdr] defend; forbid
défense [defɑ̃ːs] *f.* defense
défiler [defile] file, march past
défini [defini] definite
degré [dəgre] *m.* degree
dehors [dəɔːr] outside; **au ∾** outside
déjà [deʒa] already
délaisser [delɛse] abandon, forsake
délicat [delikɑ] delicate
délivrer [delivre] deliver, free
demander [dəmɑ̃de] ask, ask for, require
demeurer [dəmœre] remain
demi [dəmi] half; **à ∾** half; **deux ans et ∾** two years and a half

démolition [demɔlisjɔ̃] *f.* demolition

démonstratif [demɔ̃stratif] **(démonstrative)** demonstrative

départ [depɑːr] *m.* departure

dépasser [depɑse] go beyond, exceed

dépens [depɑ̃] *m. pl.* expense

dépense [depɑ̃ːs] *f.* expense, outlay

dépenser [depɑ̃se] spend

dépister [depiste] throw off the track, mislead

déplorer [deplɔre] deplore

déposer [depoze] lay, lay down

déprédation [depredɑsjɔ̃] *f.* depredation

depuis [dəpɥi] since, for; ∾ **que** since

dernier [dɛrnje] **(dernière)** last; **les deux** ∾**s** the last two

des [de] *pl.* of the, from the; some, any

dès que [dɛkə] as soon as

Desaix [dəzɛ] a French general who was killed at the battle of Marengo

désarmer [dezarme] disarm

désavantage [dezavɑ̃taːʒ] *m.* disadvantage

Descartes [dɛkart] a French philosopher

descendant [dɛsɑ̃dɑ̃] *m.* descendant

description [dɛskripsjɔ̃] *f.* description

désert [dezɛːr] *m.* desert

désespoir [dezɛspwaːr] *m.* despair

déshonorer [dezɔnɔre] dishonor

désir [deziːr] *m.* desire

désirer [dezire] desire

se désoler [sə dezɔle] grieve, be disconsolate

despotisme [dɛspɔtizm] *m.* despotism

dessin [desɛ̃] *m.* drawing, sketch

dessiner [desine] draw, lay out

destiner [dɛstine] destine, intend

destrier [dɛstrie] *m.* steed, war horse

détester [detɛste] detest, hate

détourner [deturne] avert

détruire [detrɥiːr] destroy

détruit [detrɥi] *pres. and p.p. of* **détruire**

dette [dɛt] *f.* debt

deux [dø] two; **tous** ∾ both

deuxième [døzjɛm] second

devait, devaient [dəvɛ], *imperfect of* **devoir**, was to (were to); had to, was (were) obliged to

devant [dəvɑ̃] before, in front of

développer [devlɔpe] develop, expand; **se** ∾ grow, develop oneself

devenir [dəvniːr] become

devenu [dəvny] *p.p.* of **devenir**

devint [dəvɛ̃] *past def. of* **devenir**

devoir [dəvwaːr] owe, ought, have to, be obliged to

devoir [dəvwaːr] *m.* duty

dévouement [devumɑ̃] *m.* devotion

dévouer [devwe] devote
dicton [diktɔ̃] *m.* saying
Dieu [djø] *m.* God; **à ∼ ne plaise** God forbid; **∼ le veut** God wills it
différend [diferɑ̃] *m.* quarrel, misunderstanding
différent [diferɑ̃] different
difficulté [difikylte] *f.* difficulty
dimanche [dimɑ̃ːʃ] *m.* Sunday
diminuer [diminɥe] diminish
diplomatie [diplɔmasi] *f.* diplomacy
dire [diːr] say, tell; **c'est-à-∼** that is to say
direct [dirɛkt] direct
se diriger [sə diriʒe] go (toward), direct one's step
disaient, disait [dizɛ] *imperfect of* **dire**
disant [dizɑ̃] *pres. part. of* **dire**, reciting
discourir [diskuriːr] discourse
discours [diskuːr] *m.* discourse
disparaître [disparɛːtr] disappear
disparu [dispary] *m.* missing
disparut [dispary] *past def. of* **disparaître**
disposition [dispozisjɔ̃] *f.* disposition
distinguer [distɛ̃ge] distinguish
dit [di] *pres., past def., and p.p. of* **dire**
dites [dit] *pres. of* **dire**
divin [divɛ̃] divine
diviser [divize] divide
dix [dis] ten
dix-huit [dizɥit] eighteen
dix-neuf [diznœf] nineteen
dix-neuvième [diznœvjɛm] nineteenth
dix-sept [dissɛt] seventeen
dix-septième [dissɛtjɛm] seventeenth
docteur [dɔktœːr] *m.* doctor
dois, doit [dwa] *pres. of* **devoir**
Dôle [doːl] birthplace of Pasteur
domaine [dɔmɛːn] *m.* domain, realm
dôme [dom] *m.* dome
donc [dɔ̃] therefore
donner [dɔne] give
dont [dɔ̃] of which, of whom, whose
douce [dus] *f. of* **doux**
doué [dwe] endowed, gifted
douleur [dulœːr] *f.* pain, grief
doute [duːt] *m.* doubt
doux [du] **(douce)** sweet
douze [duːz] twelve
drap [drɑ] *m.* cloth
droit [drwɑ] straight, right, straightforward
droit [drwɑ] *m.* right; **y avoir ∼** have a right to it (them)
druide [drɥiːd] *m.* druid
du [dy] of the, from the; some, any
dû [dy] *p.p. of* **devoir**
duc [dyk] *m.* duke
duché [dyʃe] *m.* duchy
duel [dɥɛl] *m.* duel
Dumas: Alexandre ∼ [alɛksɑ̃ːdr dymɑ] a French novelist
Dunkerque [dœ̃kɛrk] Dunkirk, a French port on the North Sea

Duquesne [dykɛːn] a French admiral
Durandal [dyrɑ̃dal] *f.* name that the writers of the Middle Ages gave to Roland's sword
durer [dyre] last, endure

eau [o] *f.* water
échafaud [eʃafo] *m.* scaffold
s'échapper [seʃape] escape
éclater [eklate] burst, break out, burst out
école [ekɔl] *f.* school
écolier [ekɔlje] *m.* scholar, schoolboy
écouter [ekute] listen, listen to
écraser [ekrɑze] crush
s'écrier [sekrie] exclaim
écrire [ekriːr] write; **s'∾** be written
écrivain [ekrivɛ̃] *m.* writer
écrivez [ekrive] *imperative of* écrire
écrivit [ekrivi] *past def. of* écrire
écume [ekym] *f.* foam
écusson [ekysɔ̃] *m.* escutcheon, coat of arms, shield
effet [efɛ] *m.* effect; **en ∾** in fact
effort [efɔːr] *m.* effort
églantine [eglɑ̃tin] *f.* woodbine
église [egliːz] *f.* church
égoïste [egɔist] selfish
Égypte [eʒipt] *f.* Egypt
Elbe [ɛlb] *f.* Elba, an island in the Mediterranean
éléphant [elefɑ̃] *m.* elephant
élève [elɛːv] *m. or f.* pupil; **∾ mécanicien** flying cadet
élevé [elve] high
élever [elve] raise, bring up; **faire ∾** raise
elle [ɛl] she, it, her
elle-même [ɛlmɛːm] herself
elles [ɛl] *f. pl.* they, them
s'éloigner [selwaɲe] go away
élu [ely] elected
émerveillé [emɛrvɛje] amazed, astonished
émissaire [emisɛːr] *m.* emissary
emmener [ɑ̃mne] take away, carry away
émotion [emosjɔ̃] *f.* emotion
s'emparer [sɑ̃pare] take possession
empêcher [ɑ̃pɛʃe] prevent
empereur [ɑ̃prœːr] *m.* emperor
empire [ɑ̃piːr] *m.* empire
emplacement [ɑ̃plasmɑ̃] *m.* site
emploi [ɑ̃plwa] *m.* use
employer [ɑ̃plwaje] use; **s'∾** be used
emporter [ɑ̃pɔrte] bring, carry away
ému [emy] moved, touched
émulation [emylɑsjɔ̃] *f.* emulation, rivalry
en [ɑ̃] in, into, on, to; of it, of them; some, any
enchanté [ɑ̃ʃɑ̃te] delighted
encore [ɑ̃kɔːr] still, yet
encourager [ɑ̃kuraʒe] encourage
encourir [ɑ̃kuriːr] incur
énergie [enɛrʒi] *f.* energy
énergique [enɛrʒik] energetic
enfance [ɑ̃fɑ̃ːs] *f.* childhood
enfant [ɑ̃fɑ̃] *m. or f.* child;

trouvé foundling; **tout ∾ encore** still a child
enfermer [ɑ̃fɛrme] shut, shut in, shut up
enfin [ɑ̃fɛ̃] finally, at last
s'enfuir [sɑ̃fɥiːr] run away, flee
s'engager [sɑ̃gaʒe] enlist, engage oneself; begin
enlever [ɑ̃lve] remove, take away
ennemi [ɛnmi] *m.* enemy
enragé [ɑ̃raʒe] mad
enrichir [ɑ̃riʃiːr] enrich
enseigne [ɑ̃sɛɲ] *f.* standard, ensign
ensemble [ɑ̃sɑ̃ːbl] together
ensuite [ɑ̃sɥit] afterwards
s'entasser [sɑ̃tɑse] pile up, be crammed, crowd
entendre [ɑ̃tɑ̃ːdr] hear
enthousiasme [ɑ̃tuzjazm] *m.* enthusiasm
entier [ɑ̃tje] **(entière)** entire, whole
entourer [ɑ̃ture] surround
entraîner [ɑ̃trɛne] carry along
entre [ɑ̃ːtr] between, among, in, into
entreprendre [ɑ̃trəprɑ̃ːdr] undertake
entreprise [ɑ̃trəpriːz] *f.* enterprise, undertaking
entreprit [ɑ̃trəpri] *past def. of* **entreprendre**
entrer [ɑ̃tre] enter, go in, come in
entretenir [ɑ̃trətəniːr] keep
entretient [ɑ̃trətjɛ̃] *pres. of* **entretenir**
énumérer [enymere] enumerate
envahir [ɑ̃vaiːr] invade, assail
envahisseur [ɑ̃vaisœːr] *m.* invader
envers [ɑ̃vɛːr] toward, to
environ [ɑ̃virɔ̃] about
environs [ɑ̃virɔ̃] *m. pl.* neighborhood
s'envoler [sɑ̃vɔle] take off
envoyer [ɑ̃vwaje] send
épars [epɑːr] scattered
épaule [epoːl] *f.* shoulder
épée [epe] *f.* sword
épine [epin] *f.* thorn
époque [epɔk] *f.* epoch, time
épouser [epuze] marry
éprouver [epruve] feel, experience
épuisé [epɥize] exhausted
escadrille [ɛskadriːj] *f.* escadrille
esclave [ɛsklaːv] *m.* slave
escorter [ɛskɔrte] escort
Espagne [ɛspaɲ] *f.* Spain; **château en ∾** castle in the air
Espagnol [ɛspaɲɔl] *m.* Spaniard
espèce [ɛspɛs] *f.* species, kind, sort
espérer [ɛspere] hope
espoir [ɛspwɑːr] *m.* hope
esprit [ɛspri] *m.* spirit, mind; intelligence, wit
essayer [ɘsɛje] try, attempt
essence [ɛsɑ̃ːs] *f.* gas (fuel)
essuyer [ɛsɥije] endure, go through
est [ɛ] *pres. of* **être**
est [ɛst] *m.* east
et [e] and

étaient, était [etɛ] *imperfect of* **être**
état [etɑ] *m.* state, condition
état-major [etɑ-maʒɔr] *m.* general staff
États-Unis [etɑ-zyni] *m. pl.* United States
été [ete] *p.p. of* **être**
été [ete] *m.* summer; **vacances d'∼** summer vacation
étendard [etɑ̃dɑːr] *m.* standard
étendre [etɑ̃ːdr] spread, extend; **s'∼** extend
étendu [etɑ̃dy] extended, wide
êtes [ɛːt] *pres. of* **être**
étiquette [etikɛt] *f.* etiquette
étoile [etwal] *f.* star
étonner [etɔne] astonish
étouffer [etufe] stifle, muffle
étrange [etrɑ̃ːʒ] strange
être [ɛːtr] be
étroit [etrwɑ] narrow
étude [etyd] *f.* study
étudiant [etydjɑ̃] *m.* student
eu [y] *p.p. of* **avoir**
eurent [yːr] *past def. of* **avoir**
Europe [œrɔp] *f.* Europe
eut [y] *past def. of* **avoir**; **il y ∼** there was, there were
eux [ø] *m. pl.* them
événement [evɛnmɑ̃] *m.* event
évêque [evɛːk] *m.* bishop
exalter [ɛgzalte] exalt
excès [ɛksɛ] *m.* excess
excuser [ɛkskyze] excuse
exemple [ɛgzɑ̃ːpl] *m.* example; **par ∼** for instance
s'exercer à [sɛgzɛrse a] practice, train oneself in
exercice [ɛgzɛrsis] *m.* exercise
s'exhaler [sɛgzale] pass away
exiger [ɛgziʒe] exact, demand
exiler [ɛgzile] exile
exister [ɛgziste] exist
expédition [ɛkspedisjɔ̃] *f.* expedition
expérience [ɛksperjɑ̃ːs] *f.* experience, experiment
expirant [ɛkspirɑ̃] dying
expirer [ɛkspirer] die
explicatif [ɛksplikatif] **(explicative)** explanatory
expliquer [ɛksplike] explain
exploit [ɛksplwɑ] *m.* exploit, deed
exploration [ɛksplɔrɑsjɔ̃] *f.* exploration
explorer [ɛksplɔre] explore
expression [ɛksprɛsjɔ̃] *f.* expression
exprimer [ɛksprime] express
extraordinaire [ɛkstrɔrdinɛːr] extraordinary
extravagant [ɛkstravagɑ̃] extravagant

face [fas] *f.* face; **faire ∼ à** face
faible [fɛːbl] feeble, weak, faint
faiblesse [fɛblɛs] *f.* weakness
faim [fɛ̃] *f.* hunger; **avoir ∼** be hungry
faire [fɛːr] do, make, have, cause, play the part of; **∼ attention** pay attention; **∼ venir** send for; **∼ voile** set sail
faisait, faisaient [fəzɛ] *imperfect of* **faire**

fait [fɛ] *pres. and p.p. of* **faire**
fait [fɛ] *m.* fact
fallait [falɛ] *imperfect of* **falloir**
falloir [falwaːr] be necessary, must
fameux [famø] **(fameuse)** famous
famille [famiːj] *f.* family
fanatique [fanatik] *m.* fanatic
farouche [faruːʃ] fierce
faut [fo] *pres. of* **falloir**
faute [foːt] *f.* fault; **∾ de** for lack of
faveur [favœːr] *f.* favor
favorable [favɔrabl] favorable
favori [favɔri] *m.* favorite
fée [fe] *f.* fairy; **conte de ∾** fairy tale
féminin [feminɛ̃] feminine
féminisme [feminizm] *m.* feminism
femme [fam] *f.* woman, wife
fenêtre [fnɛːtr] *f.* window
féodal [feɔdal] **(féodaux)** feudal
ferme [fɛrm] firm
fermentation [fɛrmɑ̃tɑsjɔ̃] *f.* fermentation
fermer [fɛrme] close, shut
fermière [fɛrmjɛːr] *f.* farmer
fervent [fɛrvɑ̃] fervent
fête [fɛːt] *f.* feast, holiday
feu [fø] *m.* fire
fidèle [fidɛl] faithful
se fier à [sə fje a] trust
fièrement [fjɛrmɑ̃] proudly
fierté [fjɛrte] *f.* haughtiness
figure [figyːr] *f.* face; figure
fil [fil] *m.* wire, thread; **(télégraphie) sans ∾** wireless, radio
fille [fiːj] *f.* girl, daughter; **jeune ∾** young lady, girl
fils [fis] *m.* son
fin [fɛ̃] *f.* end; **à la ∾** in the end
final [final] final
finance [finɑ̃ːs] *f.* finance
firent [fiːr] *past def. of* **faire**
fit [fi] *past def. of* **faire**
flamme [flɑm] *f.* flame
fleur [flœːr] *f.* flower
fleuri [flœri] flowing; reddish
fleuve [flœːv] *m.* river (reaching the sea)
Floraux: Jeux ∾ [ʒø flɔro] academy for the encouragement of letters
flotte [flɔt] *f.* fleet
Foch: Ferdinand ∾ [fɛrdinɑ̃ fɔʃ] *m.* Foch
foi [fwɑ] *f.* faith
fois [fwa] *f.* time
fol [fɔl] foolish. *See* **fou**
fond [fɔ̃] *m.* depth, bottom; **au ∾** in the depths
fondateur [fɔ̃datœːr] *m.* founder
fonder [fɔ̃de] found
font [fɔ̃] *pres. of* **faire**
fontaine [fɔ̃tɛn] *f.* fountain
force [fɔrs] *f.* force, strength; **à ∾ de** by dint of
forcer [fɔrse] force, compel
forêt [fɔrɛ] *f.* forest
forme [fɔrm] *f.* form, shape, voice (*gram.*); **en ∾** in the shape; **de ∾** in shape
former [fɔrme] form
fors [fɔːr] (*obsolete*) save, except
fort [fɔːr] strong, large; **château ∾** fort

forteresse [fɔrtərɛs] *f.* fortress
fortifier [fɔrtifje] strengthen, fortify
fortune [fɔrtyn] *f.* fortune, fate
fou [fu] **fol (folle)** foolish, mad
foule [ful] *f.* crowd
fourrure [furyːr] *f.* fur
fragile [fraʒil] frail
fraîche [frɛːʃ] *f. of* **frais**
frais [frɛ] **(fraîche)** fresh
français [frɑ̃sɛ] French
français [frɑ̃sɛ] *m.* French (language)
Français [frɑ̃sɛ] *m.* Frenchman; *m. pl.* French people
France [frɑ̃ːs] *f.* France
franchir [frɑ̃ʃiːr] cross
François [frɑ̃swɑ] *m.* Francis
frapper [frape] strike, knock
frein [frɛ̃] *m.* curb, check; **mettre un ∾ à** check
frère [frɛːr] *m.* brother
froid [frwɑ] cold; **il fait ∾** it is cold
froid [frwɑ] *m.* cold
froidure [frwɑdyːr] *f.* cold
front [frɔ̃] *m.* forehead, brow
frontière [frɔ̃tjɛːr] *f.* frontier, border
fuir [fɥiːr] flee
fuit [fɥi] *pres. and past def. of* **fuire**
funèbre [fynɛːbr] funeral
funéraire [fynerɛːr] funereal
furent [fyːr] *past def. of* **être**
fureur [fyrœːr] *f.* fury
fut [fy] *past def. of* **être**
futur [fytyːr] *m.* future
gagnant [gaɲɑ̃] *m.* winner
gagner [gaɲe] win
gallicisme [galisizm] *m.* Gallicism, French idiom
Ganelon [ganlɔ̃] *m.* the traitor in the story of Roland
garde [gard] *f.* guard
garder [garde] keep, keep up
Garigliano [gariljano] *m.* a river in Italy
garnison [garnizɔ̃] *f.* garrison
gâté [gɑte] spoiled
Gaule [goːl] *f.* Gaul
Gaulois [golwɑ] *m.* Gaul
géant [ʒeɑ̃] gigantic
géant [ʒeɑ̃] *m.* giant
général [ʒeneral] **(généraux)** *m.* general
généralissime [ʒeneralisim] *m.* commander in chief
généreux [ʒenerø] **(généreuse)** generous
génie [ʒeni] *m.* genius
genou [ʒənu] **(genoux)** *m.* knee; **à ∾x** kneeling, on one's knees
genre [ʒɑ̃ːr] *m.* gender
gens [ʒɑ̃] *m. pl.* people
gentilhomme [ʒɑ̃tijɔm] **(gentilshommes)** *m.* nobleman
Germanie [ʒɛrmani] *f.* former name of Germany
germe [ʒɛrm] *m.* germ
geste [ʒɛst] *m.* gesture
glace [glas] *f.* ice
gloire [glwɑːr] *f.* glory
glorieux [glɔrjø] **(glorieuse)** glorious
golfe [gɔlf] *m.* gulf

gothique [gɔtik] Gothic
goutte [gut] *f.* drop
gouvernement [guvɛrnəmɑ̃] *m.* government
gouverner [guvɛrne] govern, rule
grâce [grɑːs] *f.* grace, gracefulness
gracieux [grasjø] **(gracieuse)** graceful
grammaire [gramɛːr] *f.* grammar
grand [grɑ̃] large, great, tall
grandeur [grɑ̃dœːr] *f.* greatness
grand-père [grɑ̃pɛːr] *m.* grandfather
grands-parents [grɑ̃parɑ̃] *m. pl.* grandparents
graver [grave] engrave
Grenoble [grənɔbl] a city in France
grimper [grɛ̃pe] climb
gros [gro] *m.* bulk
guérir [geriːr] cure
guerre [gɛːr] *f.* war
guerrier [gɛrje] *m.* warrior
guetter [gɛte] watch
gui [gi] *m.* mistletoe
guider [gide] guide
guillotine [gijɔtin] *f.* guillotine
guillotiner [gijɔtine] guillotine
Guynemer [ginmɛːr] *m.* a famous French aviator

' *before* ***h*** = ***h*** *aspirée*
habile [abil] clever, skillful, able
habileté [abilte] *f.* cleverness
s'habiller [sabije] dress
habitant [abitɑ̃] *m.* inhabitant
habiter [abite] inhabit, live in
habitude [abityd] *f.* habit, custom
habituer [abitɥe] accustom
'haine [ɛːn] *f.* hate, hatred
'hasardeux [azardø] **(hasardeuse)** perilous, venturesome
'haut [o] high
'haut [o] *m.* top, height
'hauteur [otœːr] *f.* height
Henri [ɑ̃ri] *m.* Henry
herbe [ɛːrb] *f.* grass; **en ∾** budding
héritier [eritje] *m.* heir
héroïne [erɔin] *f.* heroine
héroisme [erɔizm] *m.* heroism
'héros [ero] *m.* hero
hésitation [ezitɑsjɔ̃] *f.* hesitation
heure [œːr] *f.* hour, o'clock, time
heureusement [œrøzmɑ̃] fortunately, happily
heureux [œrø] **(heureuse)** fortunate, happy
hier [iɛːr] *or* [jɛːr] yesterday
Hindou [ɛ̃du] *m.* Hindu
histoire [istwaːr] *f.* history, story
historien [istɔrjɛ̃] *m.* historian
historique [istɔrik] historical
hiver [ivɛːr] *m.* winter
'Hollande [ɔlɑ̃ːd] *f.* Holland
hommage [ɔmaːʒ] *m.* homage
homme [ɔm] *m.* man
homonyme [ɔmɔnim] *m.* homonym
honneur [ɔnœːr] *m.* honor
'honni [ɔni] dishonored

honorer [ɔnɔre] honor
hôpital [ɔpital] **(hôpitaux)** *m.* hospital
horizon [ɔrizɔ̃] *m.* horizon
horreur [ɔrœːr] *f.* horror
hospice [ɔspis] *m.* hospital, refuge
Hugo: Victor ∾ [viktɔr ygo] a great poet of the nineteenth century
'huit [ɥit] eight
humain [ymɛ̃] human
humanité [ymanite] *f.* humanity
humblement [œ̃bləmɑ̃] humbly
'huron [yrɔ̃] **(huronne)** Huron

ici [isi] here
idéal [ideal] *m.* ideal
idée [ide] *f.* idea
idiomatique [idjɔmatik] idiomatic
idiome [idjoːm] *m.* language
idiotisme [idjɔtizm] *m.* idiom
il [il] he, it, there
île [iːl] *f.* island
ils [il] they
image [imaːʒ] *f.* image, picture
imaginer [imaʒine] imagine
immense [imɑ̃ːs] immense
immortaliser [imɔrtalize] immortalize
immortelle [imɔrtɛl] *f.* everlasting (flower)
imparfait [ɛ̃parfɛ] imperfect
imparfait [ɛ̃parfɛ] *m.* imperfect
impérissable [ɛ̃perisabl] imperishable
impétuosité [ɛ̃petɥɔzite] *f.* impetuousness
s'imposer [sɛ̃poze] impose oneself
impossible [ɛ̃pɔsibl] impossible
imprégner [ɛ̃preɲe] impregnate
impression [ɛ̃prɛsjɔ̃] *f.* impression
improviste: à l'∾ [a lɛ̃prɔvist] unexpectedly
incapable [ɛ̃kapabl] incapable, unable
incident [ɛ̃sidɑ̃] *m.* incident
inconnu [ɛ̃kɔny] unknown
inconnu [ɛ̃kɔny] *m.* unknown
incrédule [ɛ̃kredyl] incredulous
incroyable [ɛ̃krwajabl] unbelievable, incredible, past belief
indécis [ɛ̃desi] wavering
indéfectible [ɛ̃defɛktibl] faultless
indéfini [ɛ̃defini] indefinite
indépendance [ɛ̃depɑ̃dɑ̃ːs] *f.* independence
Indes [ɛ̃ːd] *f. pl.* India
Indien [ɛ̃djɛ̃] *m.* Indian
indigène [ɛ̃diʒɛːn] *m.* native
indiquer [ɛ̃dike] indicate
indomptable [ɛ̃dɔ̃tabl] indomitable
inébranlable [inebrɑ̃labl] unshakable, steady, firm
inévitable [inevitabl] inevitable, unavoidable
infatigable [ɛ̃fatigabl] untiring
infecte [ɛ̃fɛkt] foul
infester [ɛ̃fɛste] infest
infidèle [ɛ̃fidɛl] *m.* infidel
infinitif [ɛ̃finitif] *m.* infinitive

influence [ɛ̃flyɑ̃:s] *f.* influence
influencer [ɛ̃flyɑ̃se] influence
injure [ɛ̃ʒy:r] *f.* insult
injuste [ɛ̃ʒyst] unjust
injustice [ɛ̃ʒystis] *f.* injustice
innombrable [inɔ̃brabl] innumerable
inouï [inwi] unheard of
inquiet [ɛ̃kjɛ] **(inquiète)** uneasy
inquiétude [ɛ̃kjetyd] *f.* uneasiness
inscription [ɛ̃skripsjɔ̃] *f.* inscription
insistance [ɛ̃sistɑ̃:s] *f.* insistence, entreaty
insister [ɛ̃siste] insist, entreat
inspiration [ɛ̃spirɑsjɔ̃] *f.* inspiration
inspirer [ɛ̃spire] inspire
s'installer [sɛ̃stale] settle
instant [ɛ̃stɑ̃] *m.* moment
institution [ɛ̃stitysjɔ̃] *f.* institution
institutrice [ɛ̃stitytris] *f.* teacher
instruction [ɛ̃stryksjɔ̃] *f.* education
instruire [ɛ̃strɥi:r] educate, instruct
instruit [ɛ̃strɥi] *p.p. of* **instruire**
instrument [ɛ̃strymɑ̃] *m.* instrument
intelligence [ɛ̃tɛliʒɑ̃:s] *f.* intelligence
intention [ɛ̃tɑ̃sjɔ̃] *f.* intention
internationalisme [ɛ̃tɛrnasjɔnalizm] *m.* internationalism
intrépide [ɛ̃trepid] fearless
introduction [ɛ̃trɔdyksjɔ̃] *f.* introduction
Invalides [ɛ̃valid] *m. pl.* a monument in Paris
inversion [ɛ̃vɛrsjɔ̃] *f.* inversion
invincible [ɛ̃vɛ̃sibl] invincible, unconquerable
invitation [ɛ̃vitɑsjɔ̃] *f.* invitation
invraisemblable [ɛ̃vrɛsɑ̃blabl] unlikely
iroquois [irɔkwɑ] Iroquois
irriter [irite] irritate, anger
Italie [itali] *f.* Italy
Italien [italjɛ̃] *m.* Italian
ivoire [ivwɑ:r] *m.* ivory
Ivry [ivri] a town of about one thousand inhabitants in Normandy

jaloux [ʒalu] **(jalouse)** jealous
janvier [ʒɑ̃vje] *m.* January
jardin [ʒardɛ̃] *m.* garden
jargon [ʒargɔ̃] *m.* jargon, cant, language
jasmin [ʒasmɛ̃] *m.* jasmine
je [ʒə] I
Jeanne d'Arc [ʒɑ:n dark] Joan of Arc
Jérusalem [ʒeryzalɛm] *f.* Jerusalem
jeter [ʒəte] throw
jette [ʒɛt] *pres. of* **jeter**
jeu [ʒø] *m.* game, play, gambling; **Jeux Floraux** poetry contests
jeune [ʒœn] young
jeunesse [ʒœnɛs] *f.* youth
joignit [ʒwaɲi] *past def. of* **joindre**
joindre [ʒwɛ̃:dr] join

joli [ʒɔli] pretty
Joséphine [ʒozefin] Josephine
jouer [ʒwe] play, gamble
jour [ʒur] *m.* day; **le ∾** by day
journée [ʒurne] *f.* day
joute [ʒut] *f.* joust, match
jugement [ʒyʒmɑ̃] *m.* judgment
juger [ʒyʒe] judge
juillet [ʒɥijɛ] *m.* July
jusque [ʒyskə] until; **jusqu'à** until, as far as; **∾ là** so far; **jusqu'où** how far
juste [ʒyst] just
justice [ʒystis] *f.* justice

Kanata [kanata] *Indian name for* Canada

la [la] the; it, her
là [la] there; **∾ où** where
Labrador [labradɔr] *m.* Labrador
La Fayette [la fajɛt] Lafayette
La Fontaine [la fɔ̃tɛn] a famous French fabulist
laisser [lɛse] leave
lait [lɛ] *m.* milk
laitière [lɛtjɛːr] *f.* milkmaid
langage [lɑ̃gaːʒ] *m.* language
langue [lɑ̃ːg] *f.* tongue, language
laquelle [lakɛl] *f. of* **lequel**
larme [larm] *f.* tear
latin [latɛ̃] *m.* Latin
lauréat [lorea] *m.* laureate
le [lə] the; him, it
leçon [ləsɔ̃] *f.* lesson
lecture [lɛktyːr] *f.* reading
légendaire [leʒɑ̃dɛːr] legendary
légende [leʒɑ̃ːd] *f.* legend
légèreté [leʒɛrte] *f.* frivolity
législatif [leʒislatif] **(legislative)** legislative
legs [lɛg] *or* [lɛ] *m.* legacy
léguer [lege] bequeath
lendemain [lɑ̃dmɛ̃] *m.* the next day
Le Nôtre [lə noːtr] a famous landscape designer
lentement [lɑ̃tmɑ̃] slowly
lequel [ləkɛl] which
les [le] the; them
lettre [lɛtr] *f.* letter
leur [lœːr] their; to them
lever [ləve] raise
lèvre [lɛːvr] *f.* lip
liaison [ljɛzɔ̃] *f.* liaison, linking
liberté [libɛrte] *f.* liberty, freedom
libre [libr] free
librement [librəmɑ̃] freely
lier [lje] tie, bind
lieu [ljø] *m.* place; **au ∾ de** instead of; **avoir ∾** take place
lieutenant [ljøtnɑ̃] *m.* lieutenant
limite [limit] *f.* limit; **sans ∾** boundless
linguistique [lɛ̃gɥistik] linguistic
lion [ljɔ̃] *m.* lion
lire [liːr] read
lis [lis] *m.* lily
lisais [lizɛ] *imperfect of* **lire**
lisons [lizɔ̃], *imperative of* **lire,** let us read
lit [li] *m.* bed, pallet
littéraire [literɛːr] literary

littéralement [literalmɑ̃] literally
littérature [literatyːr] *f.* literature
livrée [livre] *f.* livery
livrer [livre] deliver, give; engage
locution [lɔkysjɔ̃] *f.* phrase
loger [lɔʒe] lodge, house
loi [lwɑ] *f.* law
loin [lwɛ̃] far; **plus ∼** farther
lointain [lwɛ̃tɛ̃] distant, far off
long [lɔ̃] **(longue)** long, tall
longtemps [lɔ̃tɑ̃] long, a long time
Lorrain [lɔrɛ̃] *m.* Lorrainer
Lorraine [lɔrɛːn] *f.* Lorrainer, Lorraine girl
Lorraine [lɔrɛːn] *f.* a former province of France
lorsque [lɔrskə] when
lot [lo] lot
louer [lwe] rent
Louis [lwi] a name borne by many French kings
loup [lu] *m.* wolf
lourd [luːr] heavy
Louvre [luːvr] *m.* a royal palace in Paris, now a museum of fine arts
loyauté [lwɑjote] *f.* loyalty
lu [ly] *p.p. of* **lire**
lui [lɥi] him, to him, he; **à ∼ seul** all by himself
lui-même [lɥimɛːm] himself
lumière [lymjɛːr] *f.* light
lundi [lœ̃di] *m.* Monday
lune [lyn] *f.* moon; **clair de ∼** *m.* moonlight
lut [ly] *past def. of* **lire**
luth [lyt] *m.* lute
lutte [lyt] *f.* struggle
lutter [lyte] struggle
luxe [lyks] *m.* luxury
lycée [lise] *m.* lycée, academy, high school

ma [ma] *f. of* **mon**
madame [madam] *f.* madam, Mrs.
mahométan [maɔmetɑ̃] Mahometan
mai [mɛ] *m.* May
maigre [mɛːgr] thin
main [mɛ̃] *f.* hand; **à la ∼** in his hand
maintenant [mɛ̃tnɑ̃] now
mais [mɛ] but
maison [mɛzɔ̃] *f.* house
maître [mɛːtr] *m.* master, owner
majorité [maʒɔrite] *f.* majority, coming of age
mal [mal] wrong; **un peu moins ∼** not quite so badly
malade [malad] ill, sick
malade [malad] *m. or f.* sick person, patient
maladie [maladi] *f.* disease, sickness, illness
malentendu [malɑ̃tɑ̃dy] *m.* misunderstanding
malgré [malgre] in spite of
malheur [malœːr] *m.* misfortune, mishap, accident
malheureusement [malhœrøzmɑ̃] unfortunately
malheureux [malœrø] **(malheureuse)** unhappy, unfortunate

maltraiter [maltrete] illtreat
manger [mɑ̃ʒe] eat; **à ∾** something to eat
manier [manje] handle, use, wield
manière [manjɛːr] *f.* manner, way; **de ∾ à** so as to; **de quelle ∾** in what way, how; **de cette ∾** in that way
manœuvrer [manœvre] maneuver
manquer de [mɑ̃ke də] lack
Mansard [mɑ̃saːr] a famous French architect
manteau [mɑ̃to] *m.* cloak
manufacture [manyfaktyːr] *f.* manufacture
marbre [marbrə] *m.* marble
marchandise [marʃɑ̃diz] *f.* merchandise, goods
marche [marʃ] *f.* gait, progress
marché [marʃe] *m.* market
marcher [marʃe] walk, march
maréchal [mareʃal] *m.* marshal
Marengo [marɛ̃go] *m.* a small town in Italy
marge [marʒ] *f.* margin
mari [mari] *m.* husband
Marie-Antoinette [mari-ɑ̃twanɛt] *f.* a queen of France
marier [marje] marry
Marignan [mariɲɑ̃] Melegnano, a city in Italy, near Milan
marin [marɛ̃] *m.* sailor
marque [mark] *f.* mark
marquis [marki] *m.* marquis
mars [mars] *m.* March
Marseille [marsɛːj] Marseilles, a French port on the Mediterranean
matin [matɛ̃] *m.* morning; **du ∾, le ∾** in the morning
Mazarin [mazarɛ̃] an Italian, prime minister of two French kings, Louis XIII and Louis XIV
me [mə] me, to me; myself, to myself
mécanicien [mekanisjɛ̃] *m.* mechanic; **élève ∾** flying cadet
méchant [meʃɑ̃] wicked, bad
médecin [metsɛ̃] *m.* doctor, physician
médical [medikal] medical
Médicis [medisis], **Marie de** a queen of France
médiocre [medjɔkr] mediocre, commonplace
médisance [medizɑ̃ːs] *f.* slander
Méditerranée [mediterane] *f.* Mediterranean
membre [mɑ̃ːbr] *m.* member
même [mɛːm] same; even
mémoire [memwaːr] *f.* memory
mémorable [memɔrabl] memorable
menace [mənas] *f.* threat
menacer [mənase] threaten
mendier [mɑ̃dje] beg
mener [məne] lead, take
mer [mɛːr] *f.* sea
mère [mɛːr] *f.* mother
méridional [meridjɔnal] south; **Amérique ∾e** South America
merveille [mɛrvɛːj] *f.* marvel, wonder
merveilleux [mɛrvɛjø] **(merveilleuse)** marvelous, wonderful

mes [me] *pl. of* **mon**
Mesdames [medam], *pl. of* madame, ladies
méthode [metɔd] *f.* method
métier [metje] *m.* trade; ∾ **des armes** profession of arms
mettre [mɛtr] put, place, set; **se** ∾ **à** begin, set about; **se** ∾ **en route** set out
meunière [mønjɛːr] *f.* miller's wife
meurt [mœːr] *pres. of* **mourir**
microbe [mikrɔb] *m.* microbe
Midi [midi] *m.* South (of France)
Milan [milɑ̃] a city in northern Italy
milieu [miljø] *m.* middle; **au** ∾ in the middle, in the midst
militaire [militɛːr] military
militaire [militɛːr] *m.* soldier
mille [mil] *m.* thousand
ministre [ministr] *m.* minister; **premier** ∾ prime minister
minuit [minɥi] *m.* midnight
mirent [miːr] *past def. of* **mettre**
mise [miːz] *f.* setting; ∾ **en liberté** release
misère [mizɛːr] *f.* misery, poverty, wretchedness
mission [misjɔ̃] *f.* mission
missionnaire [misjɔnɛːr] *m.* missionary
mit [mi] *past def. of* **mettre**
modèle [mɔdɛl] *m.* model
moderne [mɔdɛrn] modern
modeste [mɔdɛst] modest
modestement [mɔdɛstəmɑ̃] modestly
modifier [mɔdifje] modify
moi [mwa] me, myself, I
moindre [mwɛ̃ːdr] *adj.* less; least
moine [mwan] *m.* monk
moins [mwɛ̃] *adv.* less, least; **au** ∾ at least
mois [mwɑ] *m.* month
moitié [mwatje] *f.* half
Molière [mɔljɛːr] a great French dramatist
moment [mɔmɑ̃] *m.* moment, time; **au** ∾ **où** at the moment when
mon [mɔ̃] *m.* my
monarchie [mɔnarʃi] *f.* monarchy
monde [mɔ̃ːd] *m.* world; **tout le** ∾ everybody
monoplace [mɔnɔplas] *m.* single-seater airplane
monsieur [məsjø] *m.* sir, gentleman
mont [mɔ̃] *m.* mount
montagne [mɔ̃taɲ] *f.* mountain
monter [mɔ̃te] mount, go up, ascend; ride
Montréal [mɔ̃real] *m.* a city in Canada
montrer [mɔ̃tre] show
se moquer de [sə mɔke də] laugh at, make fun of
moral [mɔral] moral
morceau [mɔrso] *m.* piece
mordre [mɔrdr] bite
More [mɔːr] *m.* Moor
mort [mɔːr], *p.p. of* **mourir**, dead
mort [mɔːr] *m.* dead (person)
mort [mɔːr] *f.* death
mot [mo] *m.* word
motif [mɔtif] *m.* motive

mourant [murɑ̃] *pres. part. of* mourir, dying
mourir [muriːr] die
moururent [muryːr] *past def. of* mourir
mourut [mury] *past def. of* **mourir**
mousse [mus] *f.* moss
mousquetaire [muskətɛːr] *m.* musketeer
moustache [mustaʃ] *f.* mustache
moyen [mwajɛ̃] *m.* means
moyen-âge [mwajɛnɑːʒ] *m.* Middle Ages; **au** ∾ in the Middle Ages
multiplié [myltiplie] multiplied
mur [myːr] *m.* wall
muraille [myrɑːj] *f.* (large) wall
murmurer [myrmyre] murmur, whisper
musique [myzik] *f.* music
musulman [myzylmɑ̃] Mussulman

nain [nɛ̃] *m.* dwarf
naissant [nɛsɑ̃] new-born
naître [nɛːtr] be born
Naples [naːpl] a city in southern Italy
Napoléon [napɔleɔ̃] Napoleon
naquit [naki] *past def. of* **naître**
Narbonne [narbɔn] a city in the south of France
narration [narɑsjɔ̃] *f.* narration
natal [natal] native
nation [nɑsjɔ̃] *f.* nation
national [nasjɔnal] national
nature [natyːr] *f.* nature
Navarre [navɑːr] *f.* a former French kingdom north of the Pyrenees
navigation [navigɑsjɔ̃] *f.* navigation
naviguer [navige] sail, navigate
navire [naviːr] *m.* ship
ne [nə]: ∾ . . . **pas** not; ∾ . . . **que** only
né [ne] *p.p. of* **naître**
nécessaire [nesɛsɛːr] necessary
négliger [negliʒe] neglect
neveu [nəvø] **(neveux)** *m.* nephew
ni [ni] neither, nor; ∾ . . . ∾ neither . . . nor
noble [nɔbl] noble
noble [nɔbl] *m.* nobleman
Noël [nɔɛl] *m.* Christmas
noir [nwaːr] black, dark
nom [nɔ̃] *m.* name; noun
nombre [nɔ̃ːbr] *m.* number
nombreux [nɔ̃brø] **(nombreuse)** numerous
nommer [nɔme] name, call; appoint
non [nɔ̃] no; not
nord [nɔːr] *m.* north; **Amérique du Nord** *f.* North America; ∾**-est** northeast
note [nɔt] *f.* note
Notre-Dame [nɔtrə-dam] *f.* a cathedral in Paris
nourrir [nuriːr] feed
nous [nu] we, us; **à** ∾ **seuls** by ourselves
nouveau [nuvo] **(nouvelle)** new; **de** ∾ anew

nouvelle [nuvɛl] *f. of* **nouveau**
nouvelle [nuvɛl] *f.* news
nu [ny] bare; **pieds ∾s** barefooted
nuit [nɥi] *f.* night; **la ∾** by night, at night; **toute la ∾** the whole night

ô [o] oh, O
Obéron [ɔberɔ̃] the king of the fairies
obliger [ɔbliʒe] oblige
observateur [opsɛrvatœːr] *m.* observer
observer [ɔpsɛrve] observe, remark
obtenir [ɔptəniːr] obtain, get
oc [ɔk] *old Provençal for* yes
occasion [ɔkɑzjɔ̃] *f.* occasion; **à cette ∾** on this occasion
Occident [ɔksidɑ̃] *m.* Occident, West
occuper [ɔkype] occupy; **s'∾ de** attend to, apply oneself to, occupy oneself with
octobre [ɔktɔbr] *m.* October
œil [œːj] **(yeux)** *m.* eye; **coup d'∾** glance
œillet [œjɛ] *m.* carnation
œuvre [œːvr] *f.* work
officier [ɔfisje] *m.* officer
offre [ɔfr] *f.* offer
offrir [ɔfriːr] offer
oïl [ɔil] *old French for* yes
oiseau [wazo] *m.* bird
olifant [ɔlifɑ̃] *m.* ivory horn
Olivier [ɔlivje] Oliver
on [ɔ̃] one, they; **l'∾** one, they
oncle [ɔ̃ːkl] *m.* uncle
onde [ɔ̃ːd] *f.* wave; water
ont [ɔ̃] *pres. of* **avoir**
onze [ɔ̃ːz] eleven
opposer [ɔpoze] oppose
oppression [ɔprɛsjɔ̃] *f.* oppression
opprimé [ɔprime] oppressed
or [ɔːr] *m.* gold; **d'∾** gold
orage [ɔraːʒ] *m.* storm
orateur [ɔratœːr] *m.* orator
ordinaire [ɔrdinɛːr] ordinary
ordinairement [ɔrdinɛrmɑ̃] ordinarily, usually, generally
ordonner [ɔrdɔne] order
ordre [ɔrdr] *m.* order
orfévrerie [ɔrfɛvrəri] *f.* gems
organisation [ɔrganizɑsjɔ̃] *f.* organization
organiser [ɔrganize] organize
orgueil [ɔrgœːj] *m.* pride
Orléans [ɔrleɑ̃] a city in the center of France
Orléans: Charles d'∾ [ʃarl dɔrleɑ̃] a poet who lived in the fourteenth century
orthographe [ɔrtɔgraf] *f.* orthography, spelling
ou [u] or
où [u] where, in which, when
oublier [ublie] forget
ouest [wɛst] *m.* west
oui [wi] yes
ours [urs] *m.* bear
ouvert [uvɛːr] open
ouvrier [uvrie] *m.* workman

page [paːʒ] *m.* page (boy *or* man)
page [paːʒ] *f.* page (of a book)

païen [pajɛ̃] pagan, heathen
pain [pɛ̃] *m.* bread
pair [pɛːr] *m.* peer
paître [pɛːtr] graze, pasture
paix [pɛ] *f.* peace
palais [palɛ] *m.* palace
panache [panaʃ] *m.* cluster of feathers, plumes
Panthéon [pɑ̃teɔ̃] *m.* a monument in Paris in the crypt of which some of the great men of France are buried
pape [pap] *m.* Pope
par [paːr] by, through, out of
paraître [parɛːtr] appear
parce que [parskə] because
parcourir [parkuriːr] go over, scour
par-dessus [pardəsy] above, over
parent [parɑ̃] related, kin
parent [parɑ̃] *m. or f.* relative; *pl.* parents
parfait [parfɛ] perfect
parfum [parfœ̃] *m.* perfume
Paris [pari] *m.* the capital of France
parler [parle] speak
parmi [parmi] among
parole [parɔl] *f.* word
part [paːr] *pres. of* **partir**
part [paːr] *f.* part, share
partager [partaʒe] share, divide
parti [parti] *m.* party, side
particulier [partikylje] **(particulière)** particular, peculiar
partie [parti] *f.* part
partir [partiːr] go away, leave
partisan [partizɑ̃] *m.* partisan
partons [partɔ̃], *imperative of* **partir**, let us go
partout [partu] everywhere
parut [pary] *past def. of* **paraître**
pas [pɑ] not
Pascal [paskal] a famous French philosopher who lived in the seventeenth century
passage [pɑsaːʒ] *m.* passage, pass
passé [pɑse] *m.* past
passer [pɑse] pass, spend; **se** ∾ happen, take place
passif [pasif] **(passive)** passive
passion [pɑsjɔ̃] *f.* passion, love
pasteur [pastœːr] *m.* shepherd
Pasteur [pastœːr] a famous French scientist who lived in the nineteenth century
pasteurisé [pastœrize] Pasteurized
patience [pasjɑ̃ːs] *f.* patience
pâtre [pɑːtr] *m.* shepherd
patriarche [patriarʃ] *m.* patriarch
patrie [patri] *f.* (native) country
patriotisme [patriɔtizm] *m.* patriotism
patron [patrɔ̃] *m.* patron saint
pauvre [poːvr] poor
Pau [po] a city in southern France
Pavie [pavi] Pavia, a fortified city in northern Italy
payer [pɛje] pay, pay for
pays [pei] *m.* country
paysan [peizɑ̃] *m.* peasant
paysanne [peizan] *f.* peasant woman

peine [pɛn] *f.* punishment, penalty; **à** ~ hardly, scarcely
pèlerin [pɛlrɛ̃] *m.* pilgrim
pèlerinage [pɛlrinaːʒ] *m.* pilgrimage
pendaison [pɑ̃dɛzɔ̃] *f.* hanging
pendant [pɑ̃dɑ̃] during; ~ **que** while
pendre [pɑ̃ːdr] hang
pénible [penibl] painful
pensée [pɑ̃se] *f.* thought
perdre [pɛrdr] lose; ruin
perdu [pɛrdy] *p.p. of* **perdre**, lost
père [pɛːr] *m.* father
période [perjɔd] *f.* period, time
périr [periːr] perish
permettre [pɛrmɛtr] allow, permit
permis [pɛrmi] *p.p. of* **permettre**
permit [pɛrmi] *past def. of* **permettre**
Perrault [pɛro] a French architect who designed the colonnade of the Louvre
persécuté [pɛrsekyte] *m.* persecuted (person)
personnage [pɛrsɔnaːʒ] *m.* character
personne [pɛrsɔn] nobody
personne [pɛrsɔn] *f.* person
personnifier [pɛrsɔnifje] personify
persuasion [pɛrsyɑzjɔ̃] *f.* persuasion, belief
Pescara [pɛskara] an Italian knight
peste [pɛst] *f.* plague
petit [pti] little, small; ~ **à** ~ little by little, gradually
petit [pəti] *m.* little one, child
petit-fils [ptifis] *m.* grandson
peu [pø] little, few
peuple [pœpl] *m.* people, nation
peur [pœːr] *f.* fear; **avoir** ~ be afraid
peut [pø], *pres. of* **pouvoir**, can, may
peut-être [pœtɛːtr] perhaps
phénomène [fenɔmɛn] *m.* phenomenon
philosophe [filɔzɔf] *m.* philosopher
philosophie [filɔzɔfi] *f.* philosophy
phrase [frɑːz] *f.* sentence
pied [pje] *m.* foot; ~**s nus** barefooted
Pierre l'Ermite [pjɛːr lɛrmit] Peter the Hermit
pieux [pjø] **(pieuse)** pious
pilote [pilɔt] *m.* pilot
pirate [pirat] *m.* pirate
pitié [pitje] *f.* pity
plaça [plasa] *past def. of* **placer**
place [plas] *f.* place, square
placer [plase] place, put
plage [plaːʒ] *f.* beach
plaideur [plɛdœːr] *m.* litigant
plainte [plɛ̃ːt] *f.* complaint
plaire [plɛːr] please
plaisanter [plɛzɑ̃te] jest
plaise [plɛːz] *subj. of* **plaire**; **à Dieu ne** ~ God forbid
plaisir [plɛziːr] *m.* pleasure
planche [plɑ̃ːʃ] *f.* board
planer [plane] soar
plante [plɑ̃ːt] *f.* plant
plaque [plak] *f.* plate, slab

plein [plɛ̃] **(pleine)** full; **en ∾ ciel de gloire** in the full height of his glory; **en ∾e révolution** in the midst of a (the) revolution

pleurer [plœre] cry, weep

plonger [plɔ̃ʒe] plunge

pluie [plɥi] *f.* rain, shower

plume [plym] *f.* feather, plume; **chapeau à ∾s** plumed hat

pluriel [plyrjɛl] *m.* plural

plus [ply] more, most; **ne . . . ∾** no more, no longer; **∾ de, ∾ que,** more than; **de ∾** moreover

plusieurs [plyzjœːr] several

plutôt [plyto] rather; **∾ que de** rather than

Poelcapelle [pwɛlkapɛl] a village near Ypres (Belgium)

poète [pwɛt] *m.* poet

point [pwɛ̃] *m.* point; **au ∾ du jour** at dawn

poisson [pwasɔ̃] *m.* fish

poitrine [pwatrin] *f.* breast, chest

politique [pɔlitik] political

Polytechnique: École ∾ [ekɔl pɔlitɛknik] Polytechnic School

pont [pɔ̃] *m.* bridge

populace [pɔpylas] *f.* mob

populaire [pɔpylɛːr] popular

popularité [pɔpylɑrite] *f.* popularity

population [pɔpylɑsjɔ̃] *f.* population

porphyre [pɔrfir] *m.* porphyry

port [pɔːr] *m.* port, harbor; **∾ de mer** seaport

porte [pɔrt] *f.* door, gate

porter [pɔrte] carry, wear, bear; **se ∾ sur** be directed toward

Portugais [pɔrtygɛ] *m.* Portuguese

Portugal [pɔrtygal] *m.* Portugal

poser [poze] place

posséder [pɔsede] possess, own

possesseur [pɔsɛsœːr] *m.* possessor, owner

possessif [pɔsɛsif] **(possessive)** possessive

possession [pɔsɛsjɔ̃] *f.* possession

possible [pɔsibl] possible

poster [pɔste] post, place

postérité [pɔsterite] *f.* posterity

pot [po] *m.* pot; **poule au ∾** chicken in the pot

poteau [pɔto] *m.* post, pole

poule [pul] *f.* hen, fowl

pour [puːr] for, to, in order to

pourquoi [purkwa] why

poursuit [pursɥi] *pres. of* **poursuivre**

poursuivre [pursɥiːvr] pursue, continue

pousser [puse] grow

poussière [pusjɛːr] *f.* dust

pouvoir [puvwaːr] be able, can, may

pouvoir [puvwaːr] *m.* power

pratique [pratik] practical

précédent [presedɑ̃] preceding

précéder [presede] precede

précepteur [presɛptœːr] *m.* tutor

prêcher [prɛʃe] preach

précieux [presjø] **(précieuse)** precious
précipice [presipis] *m.* precipice
préfixe [prefiks] *m.* prefix
premier [prəmje] **(première)** first
prenaient [prənɛ] *imperfect of* **prendre**
prenant [prənɑ̃] *pres. part. of* **prendre**
prendre [prɑ̃ːdr] take, seize, catch
préparer [prepare] prepare
préposition [prepozisjɔ̃] *f.* preposition
près de [prɛ də] near
présent [prezɑ̃] *m.* present, present tense
présenter [prezɑ̃te] present
presque [prɛskə] almost, nearly
prêt [prɛ] ready
prétendre [pretɑ̃ːdr] pretend, claim, lay claim
prêtre [prɛːtr] *m.* priest
preux [prø] valiant, gallant
prévenir [prevniːr] warn
prévoyant [prevwajɑ̃] prudent, far-sighted
prière [priɛːr] *f.* prayer
primevère [primvɛːr] *f.* primrose
prince [prɛ̃ːs] *m.* prince
pris [pri] *p.p. and past def. of* **prendre**, caught
prise [priːz] *f.* taking; **donner ∾ à** lay (one) open to
prison [prizɔ̃] *f.* prison; **∾ d'état** state prison
prisonnier [prizɔnje] *m.* prisoner; **faire ∾** take prisoner
prisonnière [prisɔnjɛːr] *f.* prisoner
prit [pri] *past def. of* **prendre**
privation [privɑsjɔ̃] *f.* privation
prix [pri] *m.* price; prize
proche [prɔʃ] near
produire [prɔdɥiːr] produce
produisit [prɔdɥizi] *past def. of* **produire**
professeur [prɔfɛsœːr] *m.* professor
professorat [prɔfɛsɔrɑ] *m.* professorship
profond [prɔfɔ̃] deep, profound
profondément [prɔfɔ̃demɑ̃] profoundly, deeply
progrès [prɔgrɛ] *m.* progress
se prolonger [sə prɔlɔ̃ʒe] be prolonged
promenade [prɔmnad] *f.* walk
se promener [sə prɔmne] take a walk
promesse [prɔmɛs] *f.* promise
promettre [prɔmɛtr] promise
promis [prɔmi] *p.p. of* **promettre**
promptement [prɔ̃tmɑ̃] quickly
pronom [prɔnɔ̃] *m.* pronoun
prononcer [prɔnɔ̃se] pronounce
prononciation [prɔnɔ̃sjɑsjɔ̃] *f.* pronunciation
propos [prɔpo] *m.* talk; subject; **à ∾ de** concerning, on the subject of
proposer [prɔpoze] propose
propre [prɔpr] proper, own

protéger [prɔteʒe] protect
protestant [prɔtɛstɑ̃] *m.* Protestant
protester [prɔtɛste] protest
prouesse [pruɛs] *f.* prowess
provençal [prɔvɑ̃sal] *m.* Provençal (language of southern France)
Provençal [prɔvɑ̃sal] **(Provençaux)** native of Provence
Provence [prɔvɑ̃ːs] *f.* a former province in the south of France
province [prɔvɛ̃ːs] *f.* province
provision [prɔvizjɔ̃] *f.* provision
provoquer [prɔvɔke] provoke, cause
pu [py] *p.p. of* **pouvoir**
public [pyblik] **(publique)** public
puis [pɥi] *pres. of* **pouvoir**
puis [pɥi] then
puisque [pɥiskə] since
puissamment [pɥisamɑ̃] powerfully
puissant [pɥisɑ̃] powerful
pur [pyːr] pure
pureté [pyrte] *f.* purity
Pyramide [piramid] *f.* Pyramid
Pyrénées [pirene] *f. pl.* Pyrenees

qualité [kalite] *f.* quality; **en ∼ de** in the capacity of
quand [kɑ̃] when
quarante [karɑ̃ːt] forty
quatorze [katɔrz] fourteen
quatorzième [katɔrzjɛm] fourteenth
quatre [katr] four
que [kə] that, which, whom, what, so that; **ce ∼** what; **ne . . . ∼** only; **qu'est-ce ∼** what? **qu'est-ce qu'il y avait** what was there?
quel [kɛl] **(quelle)** what, which
quelque [kɛlkə] some; *pl.* a few
quelques-uns [kɛlkəzœ̃] some, a few
quelqu'un [kɛlkœ̃] someone
querelle [kərɛl] *f.* quarrel
question [kɛstjɔ̃] *f.* question
questionnaire [kɛstjɔnɛːr] *m.* questionnaire
quête [kɛːt] *f.* quest
qui [ki] who, that, which, whom, whoever; **ce ∼** what
quinze [kɛ̃ːz] fifteen
Quinze-Vingts [kɛ̃zvɛ̃] *m. pl.* a hospital for the blind in Paris; *lit.* fifteen score, three hundred
quinzième [kɛ̃zjɛm] fifteenth
quoi [kwa] what; **∼ qu'il en soit** however it may be
quotidien [kɔtidjɛ̃] **(quotidienne)** daily

race [ras] *f.* race
Racine [rasin] a great French poet of the seventeenth century
raconter [rakɔ̃te] tell, relate
radio [radjo] *m.* radio
rage [raːʒ] *f.* hydrophobia; madness
raison [rɛzɔ̃] *f.* reason, cause
se rallier [sə ralje] rally
rançon [rɑ̃sɔ̃] *f.* ransom

rancune [rɑ̃kyn] *f.* rancor, malice

rang [rɑ̃] *m.* rank; row

rapidement [rapidmɑ̃] quickly, rapidly

rappeler [raple] recall; **se ~** recall, remember

rapport [rapɔːr] *m.* report; relation

se rapporter [sə rapɔrte] refer

rare [rɑːr] rare

rarement [rɑrmɑ̃] rarely, seldom

Ravaillac [ravajak] the assassin of Henry IV, king of France

rayant [rɛjɑ̃] radiant

réaliser [realize] realize; **se ~** become real, be realized

rebelle [rəbɛl] rebellious

se rebeller [sə rəbɛle] rebel

réception [resɛpsjɔ̃] *f.* reception

recevoir [rəsəvwaːr] receive

recherche [rəʃɛrʃ] *f.* search

rechercher [rəʃɛrʃe] seek, search for, look for

récit [resi] *m.* story, recital

réclamer [reklame] claim

recommander [rəkɔmɑ̃de] recommend

recommencer [rəkɔmɑ̃se] begin again, recommence

récompense [rekɔ̃pɑ̃ːs] *f.* reward, recompense

reconnaissance [rəkɔnɛsɑ̃ːs] *f.* gratitude

reconnaissant [rəkɔnɛsɑ̃] grateful

reconnaître [rəkɔnɛːtr] recognize

reconnu [rəkɔny] *p.p. of* **reconnaître**

recourir [rəkuriːr] have recourse

recruter [rəkryte] recruit

reçu [rəsy] *p.p. of* **recevoir**

recueillir [rəkœjiːr] gather, pick up; take in, shelter

reçut [rəsy] *past def. of* **recevoir**

réellement [reɛlmɑ̃] really, truly

réfléchi [refleʃi] reflexive

reformer [rəfɔrme] form again

refuge [rəfyːʒ] *m.* refuge, shelter

réfugié [refyʒje] who had taken refuge

se réfugier [refyʒje] take refuge

refuser [rəfyze] refuse

regagner [rəgaɲe] regain, win back

regarder [rəgarde] look, look at

régime [reʒim] *m.* régime, form of government

régir [reʒiːr] rule

régler [rɛgle] settle

règne [rɛːɲ] *m.* rule, reign

régner [rɛɲe] reign, rule

régulier [regylje] **(régulière)** regular

Reims [rɛ̃ːs] a city in France

reine [rɛːn] *f.* queen

réjouissance [reʒwisɑ̃ːs] *f.* rejoicing

relation [rəlɑsjɔ̃] *f.* relation

religieux [rəliʒjø] **(religieuse)** religious

religion [rəliʒjɔ̃] *f.* religion

relire [rəliːr] read again

relisez [rəlize] *pres. and imperative of* **relire**

remarquer [rəmarke] observe
remonter [rəmɔ̃ter] go up
remplacer [rɑ̃plase] replace
remplir [rɑ̃pliːr] fulfill
renaître [rənɛːtr] be born again, arise again
rencontrer [rɑ̃kɔ̃tre] meet
rendre [rɑ̃ːdr] render; return; make; hold; **se ~** go, yield, surrender; **rends-toi** surrender
renier [rənje] abjure, renounce
renom [rənɔ̃] *m.* renown, fame
renommé [rənɔme] renowned, famous, noted
rentrer [rɑ̃tre] return
renverser [rɑ̃vɛrse] overthrow
renvoyer [rɑ̃vwaje] send back
répandre [repɑ̃ːdr] spread
repartir [rəpartiːr] leave again, go away again, set out again
repas [rəpɑ] *m.* meal
repasser [rəpɑse] cross again
répéter [repete] repeat
répondre [repɔ̃ːdr] answer, reply
réponse [repɔ̃ːs] *f.* answer, reply
reporter [rəpɔrte] take over
repos [rəpo] *m.* rest
reposer [rəpoze] lay, rest
représentant [rəprezɑ̃tɑ̃] *m.* representative
représenter [rəprezɑ̃te] represent
reproche [rəprɔːʃ] *m.* reproach
républicain [repyblikɛ̃] republican
requête [rəkɛːt] *f.* request
se résigner [sə reziɲe] resign oneself
résolut [rezɔly] *past def. of* **résoudre**
résoudre [rezuːdr] resolve
respecter [rɛspɛkte] respect
responsable [rɛspɔ̃sabl] responsible
ressembler à [rəsɑ̃ble a] resemble
ressentiment [rəsɑ̃timɑ̃] *m.* resentment
ressentir [rəsɑ̃tiːr] feel
ressource [rəsurs] *f.* resource, expedient
reste [rɛst] *m.* rest, remainder
rester [rɛste] stay, remain
résultat [rezyltɑ] *m.* result
résumé [rezyme] *m.* résumé, summary
résumer [rezyme] sum up
retenir [rətəniːr] retain; stop
retient [rətjɛ̃] *pres. of* **retenir**
se retirer [sə rətire] withdraw
retourner [rəturne] return
retrouver [rətruve] find
réunir [reyniːr] gather, assemble; **se ~** assemble
réunissaient [reynisɛ] *imperf. of* **réunir**
réussir [reysiːr] succeed, be successful
revenir [rəvəniːr] come back
rêver [rɛve] dream
revinrent [rəvɛ̃ːr] *past def. of* **revenir**
revint [rəvɛ̃] *past def. of* **revenir**
revivre [rəviːvr] live again; **faire ~** revive

révolution [revɔlysjɔ̃] *f.* revolution; **en pleine** ∼ in the midst of a (the) revolution
Rhin [rɛ̃] *m.* Rhine
riche [riʃ] rich
Richelieu [riʃəljø] famous prime minister of the French king Louis XIII
richesse [riʃɛs] *f.* wealth
rideau [rido] *m.* curtain
rien [rjɛ̃] nothing
rigide [riʒid] rigid
rigoureux [rigurø] **(rigoureuse)** rigorous, severe
rigueur [rigœːr] *f.* rigor, severity
rituel [ritɥɛl] **(rituelle)** ritual
rival [rival] *m.* rival
rivière [rivjɛːr] *f.* river
robe [rɔb] *f.* dress
robuste [rɔbyst] robust
roc [rɔk] *m.* rock
roche [rɔʃ] *f.* rock
rocher [rɔʃe] *m.* rock (sea-girt)
roi [rwɑ] *m.* king
roi-cardinal [rwɑkardinal] *m.* king-cardinal (Richelieu)
Roi-Soleil [rwɑsɔlɛːj] *m.* sun-king (Louis XIV)
Roland [rɔlɑ̃] *m.* a nephew of Charlemagne
romain [rɔmɛ̃] Roman
Romain [rɔ̃mɛ̃] *m.* Roman
roman [rɔmɑ̃] *m.* novel
rompre [rɔ̃ːpr] break
Roncevaux [rɔ̃svo] a pass in the Pyrenees
rond [rɔ̃] round
rondel [rɔ̃dɛl] *m.* rondel, roundelay
rôturier [rotyrje] *m.* commoner
Rouen [rwɑ̃] a city in France
rouge [ruːʒ] red
rougir [ruʒiːr] blush
rouler [rule] roll
route [rut] *f.* road; **en** ∼ on the way
royal [rwɑjal] royal, regal
royaume [rwɑjoːm] *m.* kingdom
royauté [rwɑjote] *f.* royalty, kingship
rude [ryd] harsh
rue [ry] *f.* street
rugir [ryʒiːr] roar
ruisseau [rɥiso] *m.* brook
Russe [rys] *m.* Russian
Russie [rysi] *f.* Russia

sa [sa] his, her, its
sable [sabl] *m.* sand
sacre [saːkr] *m.* coronation
sacré [sakre] sacred
sacrer [sakre] crown
sacrifice [sakrifis] *m.* sacrifice
sacrifier [sakrifje] sacrifice
sage [saːʒ] wise
sagement [saʒmɑ̃] wisely
sagesse [saʒɛs] *f.* wisdom
saint [sɛ̃] holy
saint [sɛ̃] *m.* saint
Saint-Charlemagne [sɛ̃-ʃarləmaːɲ] *f.* school holiday celebrated January 28
Sainte-Hélène [sɛ̃-telɛn] *f.* St. Helena, an island in the Atlantic
saintement [sɛ̃tmɑ̃] in a saintly manner

Saint-Laurent [sɛ̃-lɔrɑ̃] *m.* St. Lawrence, a river in Canada
Saint-Lazare [sɛ̃-lazaːr] a church in Paris
Saint-Malo [sɛ̃-mɑlo] St. Malo, a French seaport on the English Channel
sais [se] *pres. of* **savoir**
salle [sal] *f.* hall, room
salon [salɔ̃] *m.* drawing-room
samedi [samdi] *m.* Saturday
sanglant [sɑ̃glɑ̃] bloody
sanglier [sɑ̃glie] *m.* wild boar
sans [sɑ̃] without
santé [sɑ̃te] *f.* health
Sarrasin [sarazɛ̃] *m.* Saracen
satisfaire [satisfɛːr] satisfy
saurait [sɔrɛ] *cond. of* **savoir**
sauvage [sovaːʒ] wild
sauvage [sovaːʒ] *m.* savage; Indian
sauver [sove] save
savaient [savɛ] *imperf. of* **savoir**
savant [savɑ̃] learned
savant [savɑ̃] *m.* scientist
Savoie [savwɑ] *f.* Savoy
savoir [savwaːr] know, know how; be able, can
science [sjɑ̃ːs] *f.* science
scrupuleux [skrypylø] **(scrupuleuse)** scrupulous
se [sə] himself, herself, oneself, themselves; to himself, to herself, to themselves; each other, to each other
second [səgɔ̃] second
secourir [səkuriːr] succor, help
secours [səkuːr] *m.* succor, aid, help
secret [səkrɛ] *m.* secret
seigneur [sɛɲœːr] *m.* lord
seizième [sɛzjɛm] sixteenth
selon [slɔ̃] according to
semaine [smɛn] *f.* week
sembler [sɑ̃ble] seem
sens [sɑ̃ːs] *m.* sense; direction
sentier [sɑ̃tje] *m.* path
sentiment [sɑ̃timɑ̃] *m.* sentiment, feeling
sentir [sɑ̃tiːr] feel
séparer [separe] separate
septembre [sɛptɑ̃ːbr] *m.* September
Sépulchre: Saint ∾ [sɛ̃ sepylkr] *m.* Holy Sepulcher
sépulture [sepyltyːr] *f.* burial
sera [sra] *fut. of* **être**
serait [srɛ] *cond. of* **être**
Serbe [sɛrb] *m.* Serbian
sérieux [serjø] **(sérieuse)** serious
seront [srɔ̃] *fut. of* **être**
serpe [sɛrp] *f.* sickle
se serrer [sə sɛre] be oppressed, be wrung
sérum [serɔm] *m.* serum
service [sɛrvis] *m.* service
servir [sɛrviːr] serve; **se ∾ de** use, make use of
ses [se] *pl. of* **son**
seul [sœl] alone; **à lui ∾** himself alone, all by himself
seulement [sœlmɑ̃] only
Sforza: Maximilien ∾ [maksiljɛ̃ sfɔrza] *or* (*Italian*) [sfɔrtsa] a duke of Milan
si [si] if; so
siècle [sjɛkl] *m.* century

siège [sjɛːʒ] *m.* seat; siege
sien [sjɛ̃]: **le ∼** his, hers
signature [siɲatyːr] *f.* signature
signe [siːɲ] *m.* sign
signer [siɲe] sign
signification [siɲifikɑsjɔ̃] *f.* signification, meaning
signifier [siɲifje] mean
silence [silɑ̃ːs] *m.* silence
simple [sɛ̃ːpl] simple
singulier [sɛ̃gylje] *m.* singular
sire [siːr] *m.* sire, sir
situé [sitɥe] situated
six [sis] six
société [sɔsjete] *f.* society
sœur [sœːr] *f.* sister
soif [swɑːf] *f.* thirst; **avoir ∼** be thirsty
soigner [swaɲe] take care of, nurse
soin [swɛ̃] *m.* care
soir [swaːr] *m.* evening; **le ∼** in the evening
soit [swa] *pres. subj. of* **être**: **quoi qu'il en ∼** however it may be; **∼ . . . ∼** either . . . or
soixante [swasɑ̃ːt] sixty
soixante-dix-neuf [swasɑ̃ːtdiznœf] seventy-nine
soixante-douze [swasɑ̃ːtduːz] seventy-two
soldat [sɔldɑ] *m.* soldier
soleil [sɔlɛːj] *m.* sun
solennellement [sɔlanɛlmɑ̃] solemnly
sombre [sɔ̃ːbr] dark, somber
somme [sɔm] *f.* sum
son [sɔ̃] his, her, its
son [sɔ̃] *m.* sound
songer [sɔ̃ʒe] think
sonner [sɔne] ring, sound
sont [sɔ̃] *pres. of* **être**
sort [sɔːr] *m.* fate, lot
sorte [sɔrt] *f.* sort, kind; **de ∼ que** so that
sortir [sɔrtiːr] go out, come out
souci [susi] *m.* care; marigold
soucieux [susjø] **(soucieuse)** anxious, pensive
souffert [sufɛːr] *p.p. of* **souffrir**
souffrance [sufrɑ̃ːs] *f.* suffering
souffrir [sufriːr] suffer
soulagement [sulaʒmɑ̃] *m.* relief
soulever [sulve] raise; **se ∼** rise
se soumettre [sə sumɛtr] submit
sous [su] under
souscrire [suskriːr] subscribe
sous-entendu [suzɑ̃tɑ̃dy] understood
sous-lieutenant [suljøtənɑ̃] *m.* second lieutenant
sous-marin [sumarɛ̃] *m.* submarine
souvenir [suvəniːr] *m.* memory, memento
souvent [suvɑ̃] often
souverain [suvrɛ̃] *m.* sovereign, ruler
soyez [swaje] *imperative of* **être**
spectacle [spɛktakl] *m.* spectacle, show
spirituel [spiritɥɛl] **(spirituelle)** witty
Stadacona [stadakɔna] an Indian village near Montreal

Stanislas: Collège ∾ [kɔlɛːʒ stanislas] *m.* a well-known private school in Paris
subir [sybiːr] undergo
sublime [syblim] sublime
substituer [sybstitɥe] substitute
substitution [sybstitysjɔ̃] *f.* substitution
succéder à [syksede a] succeed
succès [syksɛ] *m.* success
successeur [syksɛsœːr] *m.* successor
Sud [syd] South; **Amérique du** ∾ South America
suisse [sɥis] *f.* Switzerland
Suisse [sɥis] *m.* Swiss
suite [sɥit] *f.* succession; continuation; **tout de** ∾ at once
suivant [sɥivɑ̃] following
suive [sɥiːv] *subj. of* **suivre**: **qui m'aime me** ∾ let him who loves me follow me
suivi [sɥivi] connected
suivre [sɥiːvr] follow; **se** ∾ follow each other
sujet [syʒɛ] *m.* subject
supérieur [syperjœːr] superior
supplice [syplis] *m.* torment, distress, grief; **dernier** ∾ capital punishment
supplier [syplie] beg, entreat
suprême [syprɛːm] supreme
sur [syr] on, upon
sûr [syːr] sure, certain
sûreté [syrte] *f.* safety
surface [syrfas] *f.* surface
surnom [syrnɔ̃] *m.* surname, nickname
surnommer [syrnɔme] surname
surprendre [syrprɑ̃ːdr] surprise
surpris [syrpri] *p.p. of* **surprendre**
surtout [syrtu] above all, especially
surveiller [syrvɛje] watch, look after
suspendre [syspɑ̃ːdr] suspend
sut [sy] *past def. of* **savoir**
symbole [sɛ̃bɔl] *m.* symbol
symbolique [sɛ̃bɔlik] symbolic
sympathie [sɛ̃pati] *f.* sympathy

tâche [tɑːʃ] *f.* task
tactique [taktik] *f.* tactics
tailler [tɑje] cut
taire [tɛːr]: **faire** ∾ silence
tambour [tɑ̃buːr] *m.* drum
tandis que [tɑ̃di kə] whereas, while
tanneur [tanœːr] *m.* tanner
tant [tɑ̃] so much; ∾ **de** so much, so many; ∾ **que** as long as
Tarbes [tarb] a town in the Pyrenees
tard [taːr] late; **plus** ∾ later
Tardes: Pierre de ∾ [pjɛːr də tard] a French knight, companion of Bayard
tel [tɛl] **(telle)** such; **un** ∾ such a
télégraphie [telegrafi] *f.* telegraphy; ∾ **sans fil** wireless
télévision [televizjɔ̃] *f.* television
tellement [tɛlmɑ̃] so
témoignage [temwaɲaːʒ] *m.* token

température [tɑ̃peratyːr] *f.* temperature
tempéré [tɑ̃pere] temperate
Temple [tɑ̃ːpl] *m.* a prison in Paris, demolished in 1811
temps [tɑ̃] *m.* time; tense; **combien de** ∾ how long; **en même** ∾ at the same time
tenace [tənas] tenacious
ténacité [tenasite] *f.* tenacity
tenailler [tənɑje] torture, rack
tenir [təniːr] hold; ∾ **tête à** hold one's own against; **se** ∾ **pour battu** look upon oneself as beaten
tente [tɑ̃ːt] *f.* tent
tenter [tɑ̃te] tempt
terme [tɛrm] *m.* term, word
terminer [tɛrmine] end; **se** ∾ end, be ended
terre [tɛːr] *f.* land, earth; **par** ∾ on the ground, on the floor
Terre-Neuve [tɛr-nœːv] *f.* Newfoundland
terrible [tɛribl] terrible
tes [te] *pl. of* **ton**
testament [tɛstamɑ̃] *m.* will
tête [tɛːt] *f.* head; **tenir** ∾ **à** hold one's own against
tient [tjɛ̃] *pres. of* **tenir**
tige [tiːʒ] *f.* stalk
tigre [tiːgr] *m.* tiger
timide [timid] timid
tirer [tire] pull, draw; shoot
titre [tiːtr] *m.* title
toi [twa] you, yourself
toilette [twalɛt] *f.* toilet, dress
tombeau [tɔ̃bo] *m.* tomb
tomber [tɔ̃be] fall
ton [tɔ̃] your
tonneau [tɔno] *m.* ton
tonnerre [tɔnɛːr] *m.* thunder
torrent [tɔrɑ̃] *m.* torrent
torture [tɔrtyːr] *f.* torture
toucher [tuʃe] touch, move
toujours [tuʒuːr] always, forever
Toulouse [tuluːz] a city in southern France
tour [tuːr] *m.* turn; trick; **à leur** ∾ in their turn; **achever le** ∾ **de** finish going round
tour [tuːr] *f.* tower
tourner [turne] turn; **se** ∾ turn
tournoi [turnwɑ] *m.* tournament
Tourville [turvil] a French admiral
tous [tus] everybody, all
tout [tu] **(toute, tous, toutes)** all, every; everything; **tous deux** both; ∾ **à coup** all of a sudden; ∾ **en** while; *adv.* very
traduire [tradɥiːr] translate
tragique [traʒik] tragic
trahison [traizɔ̃] *f.* treason
trait [trɛ] *m.* dash
traiter [trɛte] treat
traître [trɛːtr] *m.* traitor
tranquille [trɑ̃kil] quiet, peaceful
tranquillement [trɑ̃kilmɑ̃] quietly, peacefully
transmettre [trɑ̃smɛtr] transmit
transporter [trɑ̃spɔrte] carry, transport

travail [trava:j] **(travaux)** *m.* work
travaux [travo] *pl. of* **travail**
traverser [traverse] cross
treize [trɛ:z] thirteen
treizième [trɛzjɛm] thirteenth
trembler [trɑ̃ble] tremble
trente-cinq [trɑ̃:tsɛ̃k] thirty-five
très [trɛ] very
Trianon [trianɔ̃] *m.* a palace at Versailles
tribu [triby] *f.* tribe
tribut [triby] *m.* tribute
triomphe [triɔ̃:f] *m.* triumph
triste [trist] sad
tristesse [tristɛs] *f.* sadness
trois [trwɑ] three
troisième [trwɑzjɛm] third
trompette [trɔ̃pɛt] *m.* trumpeter
trompette [trɔ̃pɛt] *f.* trumpet
trône [tro:n] *m.* throne
trop [tro] too, too much, too many
troubadour [trubadu:r] *m.* minstrel, troubadour
troupe [trup] *f.* troop; **∾s de terre** land forces
troupeau [trupo] *m.* herd, flock
trouver [truve] find; **se ∾** be, happen to be
trouvère [truvɛ:r] *m.* trouvère, northern bard
tu [ty] you
Tuileries [tɥilri] a royal residence in Paris, destroyed by fire in 1871
Tunis [tynis] a city in northern Africa
Turc [tyrk] *m.* Turk
Turenne [tyrɛn] a great French general
Turpin [tyrpɛ̃] archbishop of Reims in the ninth century
type [tip] *m.* type, model

un [œ̃] **(une)** a, an, one; **l'∾ et l'autre** both
uniforme [ynifɔrm] uniform
unique [ynik] one, only
unir [yni:r] unite; **s'∾** unite, join together
unissent [ynis] *pres. of* **unir**
usage [yza:ʒ] *f.* usage, custom

va [va] *pres. of* **aller**
vacances [vakɑ̃:s] *f. pl.* vacation; **∾ d'été** summer vacation
vagissement [vaʒismɑ̃] *m.* wailing, mewling (of infants)
vaillant [vajɑ̃] valiant, valorous, gallant
vain [vɛ̃] vain
vaincre [vɛ̃:kr] vanquish, conquer
vaincu [vɛ̃ky] *p.p. of* **vaincre**
vaincu [vɛ̃ky] *m.* conquered, vanquished
vainement [vɛnmɑ̃] vainly
vainqueur [vɛ̃kœ:r] *m.* victor, conqueror
vaisseau [vɛso] *m.* ship, vessel
valeur [valœ:r] *f.* valor
valeureux [valœrø] **(valeureuse)** valorous, brave
vallée [vale] *f.* valley
varier [varje] vary

vas [va] *pres. of* **aller**
Vauban [vobɑ̃] *m.* a great French engineer
vécu [veky] *p.p. of* **vivre**
vécut [veky] *past def. of* **vivre**
veille [vɛːj] *f.* day before, eve
veiller à [vɛje a] watch over
vendre [vɑ̃ːdr] sell
venir [vəniːr] come; **faire ∾** send for
vent [vɑ̃] *m.* wind
venu [vəny] *p.p. of* **venir**
verbe [vɛrb] *m.* verb
Vercingétorix [vɛrsɛ̃ʒetɔriks] a hero of Gaul
véritablement [veritabləmɑ̃] truly
vers [vɛːr] toward
vers [vɛːr] *m.* verse
Versailles [vɛrsɑːj] *m.* a city in France
vert [vɛːr] green
vestige [vɛstiːʒ] *m.* trace, vestige
vêtement [vɛːtmɑ̃] *m.* garment; *pl.* clothes
vêtu de [vɛty də] clothed in, dressed in
veulent [vœːl] *pres. of* **vouloir**
veut [vø] *pres. of* **vouloir**
veuve [vœːv] *f.* widow
victime [viktim] *f.* victim
victoire [viktwaːr] *f.* victory
victorieusement [viktɔrjøzmɑ̃] victoriously
victorieux [viktɔrjø] **(victorieuse)** victorious
vie [vi] *f.* life; **à ∾** for life
vieille [vjɛːj] *f. of* **vieux**
vieillir [vjɛjiːr] grow old
Vienne [vjɛn] Vienna, capital of Austria
vient [vjɛ̃] *pres. of* **venir**
vieux [vjø] **(vieille)** old
vif [vif] **(vive)** lively, keen
Vigny: Alfred de ∾ [alfrɛd də viɲi] a French poet of the nineteenth century
vigoureusement [vigurøzmɑ̃] vigorously
village [vilaːʒ] *m.* village
ville [vil] *f.* city
Vincennes [vɛ̃sɛn] a forest near Paris
Vincent de Paul [vɛ̃sɑ̃ də pɔl] a saint of the Catholic Church
vingt [vɛ̃] twenty
vingt et unième [vɛ̃ te ynjɛm] twenty-first
violette [vjɔlɛt] *f.* violet
violon [vjɔlɔ̃] *m.* violin
virgule [virgyl] *f.* comma
viriliser [virilize] strengthen
virtuellement [virtɥɛlmɑ̃] virtually, in effect
Visconti: Valentine ∾ [valɑ̃tin viskɔ̃ti] an Italian princess of the fourteenth century
visite [vizit] *f.* visit; inspection
visiter [vizite] visit
vit [vi] *past def. of* **voir**
vit [vi] *pres. of* **vivre**
vite [vit] quickly, fast
vivre [viːvr] live
voici [vwasi] here is, here are
voilà [vwala] there is, there are; **∾ que** behold; **les ∾** there they are

voile [vwal] *f.* sail; **faire** ~ sail
voilé [vwale] muffled
voir [vwaːr] see
voix [vwɑ] *f.* voice
vol [vɔl] *m.* flight
voler [vɔle] fly
volontaire [vɔlɔ̃tɛːr] voluntary
volontaire [vɔlɔ̃tɛːr] *m.* volunteer
vos [vo] *pl. of* **votre**
votre [vɔtr] your
vôtre [voːtr]: **le** ~ yours
voudrais bien [vudrɛ bjɛ̃] *cond. of* **vouloir bien**
vouloir [vulwaːr] wish; ~ **bien** be willing; **en** ~ **à** bear ill will toward; ~ **dire** mean
voulut [vuly] *past def. of* **vouloir**
vous [vu] you, yourself; to you, to yourself; each other, to each other
voyage [vwajaːʒ] *m.* voyage, journey
voyager [vwajaʒe] travel, journey
voyageur [vwajaʒœːr] *m.* traveler
voyant [vwajɑ̃] *pres. part. of* **voir**
voyez [vwaje] *imperative of* **voir**
vu [vy] *p.p. of* **voir**

Waterloo [vaterlo] a town in Belgium where Napoleon was defeated

y [i] there, to it; **il** ~ **a** there is, ago; ~ **a-t-il longtemps de cela** is that a long time ago; **combien** ~ **a-t-il de cela** how long ago is that
yeux [jø] *pl. of* **œil**

zélé [zele] zealous

RULES

Borrowers will be held responsible for mutilation of books.

Books may be borrowed for two periods and to be used in t heLibrary only during the day.

Books may be borrowed 8.th period for overnight use; they are due at 6:00 the following school morning.

Library privileges withdrawn until O. K.'d by Librarian.

Study in the Library.

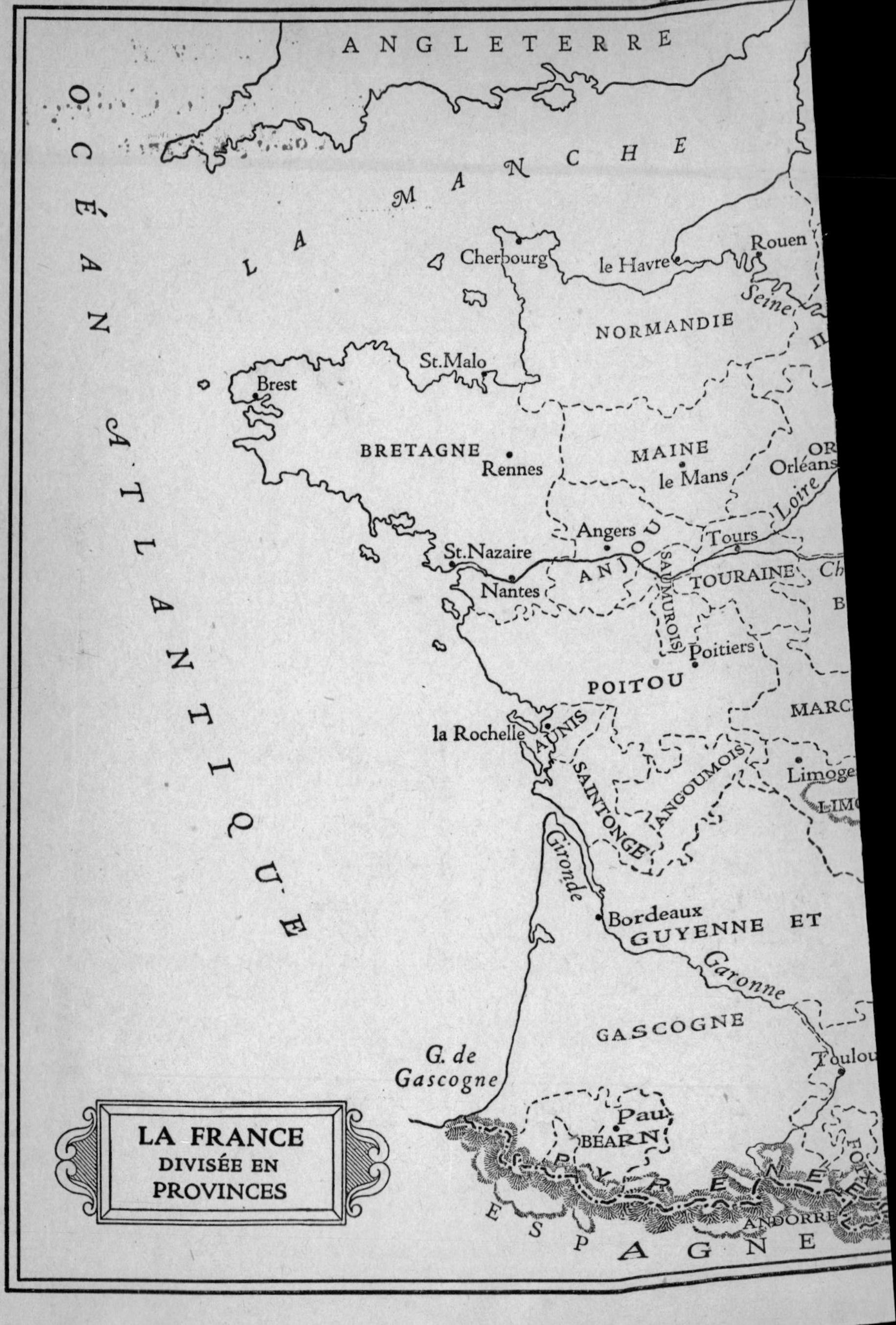

LA FRANCE
DIVISÉE EN PROVINCES

ANGLETERRE

OCÉAN ATLANTIQUE

LA MANCHE

Cherbourg

le Havre

Rouen

Seine

NORMANDIE

St.Malo

Brest

BRETAGNE

Rennes

MAINE

le Mans

OR

Orléans

Loire

Angers

ANJOU

Tours

St.Nazaire

Nantes

SAUMUROIS

TOURAINE

Ch

B

Poitiers

POITOU

MARC

la Rochelle

AUNIS

SAINTONGE

ANGOUMOIS

Limoge

LIM

Gironde

Bordeaux

GUYENNE ET

Garonne

GASCOGNE

G. de Gascogne

Toulou

Pau

BÉARN

PYRÉNÉES

FOIX

ANDORRE

ESPAGNE